D0785005

Les Éditions du Boréal
4447, rue Saint-Denis
Montréal (Québec) H2J 2L2
www.editionsboreal.qc.ca

LE MONDE GRÉCO-ROMAIN

Du même auteur

Histoires de l'Orient de Ctésias, Paris, Les Belles Lettres, coll. « La roue à livres », 1991.

Histoire romaine de Dion Cassius, Vies de Tibère et de Caligula, Paris, Les Belles Lettres, coll. « La roue à livres », 1995.

Janick Auberger

Le Monde gréco-romain

Boréal

Les Éditions du Boréal remercient le Conseil des Arts du Canada
ainsi que le ministère du Patrimoine canadien et la SODEC
pour leur soutien financier.

Illustration de la couverture : Rémy Simard

Dépôt légal : 2e trimestre 1996
Bibliothèque nationale du Québec

Diffusion au Canada : Dimedia
Distribution et diffusion en Europe : les Éditions du Seuil

Données de catalogage avant publication (Canada)
Auberger, Janick
Le Monde gréco-romain
(Collection Boréal express ; 13)
Comprend des réf. bibliogr.

ISBN 2-89052-767-0

1. Civilisation gréco-romaine. 2. Grèce – Civilisation. 3. Rome – Civilisation. I. Titre. II. Collection.

DE71.A92 1996 909'.09822 C96-940358-5

Table

Introduction
Variations sur le thème des « classiques » 11

CHAPITRE I
Repères chronologiques 17
La Grèce 17
VIIIe-VIe siècle : l'époque archaïque 21
Ve siècle : l'époque classique 24
IVe siècle : les luttes intercités et l'intervention macédonienne 27
IIIe-IIe siècle : l'époque hellénistique 29
Rome 30
509-27 avant J.-C. : la République 31
Le principat d'Auguste 33
L'Empire 34
Le Haut-Empire 35
Le Bas-Empire 36

CHAPITRE II
La Méditerranée, creuset de la civilisation classique 39
Asie Mineure et Grande Grèce 39
Athènes 41
Alexandrie, Pergame, Antioche 42
Rome 43
Constantinople 45

CHAPITRE III
Organisation politique et sociale du monde gréco-romain 47
La Grèce 47
Les institutions politiques 48
Les groupes sociaux 51
La religion 52
L'économie 53
La vie militaire 55
L'urbanisme 56
Rome 58
Les institutions politiques 59
Les classes sociales 63
L'armée 64
La religion 66
L'économie 69
L'urbanisme 72

CHAPITRE IV
Du cosmos au microcosme : une vision du monde 77
L'homme et le Cosmos, l'homme et la cité 78
La géographie du monde habité 80
L'homme en société 83
Mariage et famille 85

CHAPITRE V
Le monde gréco-romain vu par les « modernes » 91
D'Alexandrie au Moyen Âge 92
La Renaissance 95
Le siècle classique et le Siècle des lumières 97
Le XIXe et le début du XXe siècle 99

CHAPITRE VI
Les tendances actuelles 105

Conclusion 113

Tableaux chronologiques
Les grandes périodes de l'histoire grecque 117
Les grandes périodes de l'histoire romaine 119

Cartes
La Méditerranée grecque après les colonisations des VIIe et VIe siècles 121
Les cités grecques aux Ve-IVe siècles 122
L'Empire romain vers 200 123

Bibliographie 125

Introduction
Variations sur le thème des « classiques »

L'adjectif « classique » présent dans le titre est ambigu et il est bon pour commencer d'en dire quelques mots : il renvoie à la fois à l'antiquité gréco-romaine et aux imitations qu'elle a suscitées (quand on parle d'architecture « classique » par exemple), et à de courtes périodes (le siècle de Périclès à Athènes, celui d'Auguste à Rome, de Louis XIV en France, etc.) qui ont atteint un degré de perfection inégalé, avec des règles formelles et esthétiques prônant la mesure et l'équilibre. En ce qui concerne l'Antiquité, on voit bien que les deux sens coexistent puisque le mot renvoie à la fois à une civilisation d'ensemble et à des moment forts de cette même civilisation. Bien entendu, ceux que nous appelons « classiques » n'avaient pas conscience de l'être et ne se désignaient pas ainsi, mais, malgré son côté un peu artificiel, cette terminologie est bien utile pour isoler une civilisation placée entre deux mondes bien différents : l'antiquité « classique » succède à l'« antiquité du Proche-Orient », celle des vieilles civilisations de l'Égypte, de la Mésopotamie et du Couloir syro-palestinien, nées à l'est de la Méditerranée vers 3000[1] alors que l'antiquité classique, concentrée au bord de la Méditerranée, est plus jeune de plus d'un millénaire. À l'autre bout de la chaîne, elle cède la place au christianisme naissant, à cette société imprégnée de nouvelles valeurs qui s'achemine petit à petit vers le Moyen Âge. L'antiquité classique est donc essentiellement le

1. Les dates sont « avant J.-C. », sauf mention contraire.

monde de la Grèce et de Rome, peuples païens encore mais déjà nettement plus « modernes » à nos yeux que les peuples du Proche-Orient, « occidentaux » en fait et proches de nous. C'est d'ailleurs cette modernité qui a frappé les humanistes du début de la Renaissance au point que la Grèce et Rome sont devenues à leurs yeux des terres privilégiées et quasi sacrées, terres de sagesse et d'harmonie où les ouvrages de premier rang, les *exempla* et les vies d'hommes illustres foisonnent, où les Anciens sont encore proches de l'âge d'or, vision idéalisée qui a nourri des générations de « classicistes » et qui a fait les beaux jours des collèges classiques. Mais beaucoup de changements récents ont bouleversé notre vision de cette Antiquité : l'enseignement des humanités a cédé la place aux sciences exactes, les langues anciennes ont régressé en une vingtaine d'années, l'Antiquité est devenue une région peu fréquentée, un peu désuète, peu apte à attirer la jeunesse sinon par le biais des belles légendes tirées de la mythologie. Une nouvelle querelle des Anciens et des Modernes a amené les chercheurs à se justifier, à remettre en question l'actualité de leurs études, leur utilité. Les attaques ont fondu de toutes parts, les effectifs ont diminué, mais le malaise a eu le mérite de remettre en question un domaine qui ronronnait et commençait peut-être à vivre sur ses acquis. Profitant du développement des sciences de l'homme, les spécialistes ont continué à interroger l'Antiquité avec de nouvelles armes, de nouvelles grilles d'analyse, une méthodologie toujours plus précise et scientifique. Leurs travaux ont porté leurs fruits : rompre avec la vision idéalisante des Grecs et des Romains a mis fin à la « sympathie » qui voulait qu'ils fussent nos ancêtres directs, témoins d'une époque idéale. Par ailleurs, les progrès de l'archéologie, les nouvelles disciplines comme l'anthropologie historique, de nouvelles approches (structurale, narratologique, psychanalytique, etc.) des textes anciens ont renouvelé l'investigation, et c'est presque un nouveau champ de recherche qui s'ouvre aujourd'hui aux curieux qui s'intéressent à ces « classiques » qui, même s'ils n'ont pas tout inventé *ex nihilo*, même si l'expression « miracle grec » est excessive et à présent évitée, n'en ont pas moins jeté les bases de la civilisation occidentale. La civilisation classique n'est peut-être pas la plus belle des civilisations, elle n'en est pas moins celle à laquelle les Occidentaux participent le plus, raison suffisante pour que nous cherchions à la connaître, ce qui est une façon de nous reconnaître aussi, puisque le Québec y puise largement.

Quoique les périodisations historiques soient artificielles et de plus en plus remises en question, il est encore possible de présenter l'antiquité classique comme une unité historique, dans la mesure où elle s'oppose largement aux civilisations orientales, même si elle s'inspire d'elles, et dans la mesure où elle constitue un monde bien spécifique, le monde gréco-romain. Même si les Grecs et les Romains ont souvent opéré des choix très différents dans leur façon de vivre et de penser, les ressemblances sont frappantes entre les deux sociétés, et leur symbiose peut amener à dire qu'il s'agit là « d'une seule et même civilisation » (Paul Veyne). D'où cet ouvrage, qui les traite et les interroge ensemble, les séparant le moins possible, seulement quand il faudra mettre en valeur justement leurs différences.

C'est la Méditerranée qui est le moteur de cette unification et sert de décor à notre présentation ; elle réunit tous les peuples, force les contacts, impose un mode de vie et un rythme communs, relie l'Ibère d'Espagne au Phénicien du Levant. Les Grecs l'avaient bien compris, installés d'est en ouest depuis les temps archaïques ; mais ce sont les Romains qui, par la force et l'intelligence, parviendront à s'en rendre maîtres et à supprimer toute concurrence. Si bien que tout le pourtour de la « Mer intérieure » subira pendant des siècles l'influence de cette double culture dominante gréco-latine, qui se superpose avec plus ou moins de bonheur aux identités régionales que chacun s'attache à maintenir. Et tous les peuples actuels, du Portugais au Grec, du Français à l'Anglais, de l'Italien à l'Allemand, portent la marque des classiques, plus ou moins atténuée ou bigarrée par des influences ultérieures, mais bien ancrée dans les cœurs et dans l'identité. Cette marque, ils l'ont inévitablement emportée quand ils sont partis s'installer dans le Nouveau Monde. Bien sûr, leurs bagages étaient lourds d'une nouvelle influence : la foi chrétienne, inconnue des classiques ; mais ce nouveau code n'avait pas fait table rase du passé, et aujourd'hui encore, il n'est qu'à se promener dans les rues de Montréal pour admirer, ici les colonnes corinthiennes d'une bibliothèque, et là une devise latine sur le fronton d'un monument ou à la devanture d'un magasin. Il y a beaucoup de latinité au Québec, beaucoup de Méditerranée. Dans les rues, dans les yeux des gens, dans le mode de vie. D'autres composantes venues d'ailleurs également, et c'est bien là sa richesse. Mais « rendons à César ce qui est à César », et voyons ce que les Gréco-Romains ont offert à la civilisation occidentale.

Après un rappel historique et chronologique nécessaire pour qui veut replacer ces peuples anciens dans leur contexte, nous insisterons sur la *culture* gréco-latine, car c'est d'abord elle que les humanistes ont redécouverte à la Renaissance et que chacun de nous garde, même vaguement, dans sa mémoire ; or, elle n'est pas née du jour au lendemain dans les seules villes d'Athènes et de Rome, elle a eu sa genèse et une évolution rationnelle tout au long des 13 siècles qui virent son épanouissement, avec la contribution de tout le bassin méditerranéen ; il importe donc de survoler toutes les grandes capitales qui ont lentement élaboré ce qui est à la source de notre civilisation occidentale. Ensuite nous remonterons le temps pour nous poser dans les cités des Anciens, connaître leur mode de vie, leur façon de voir le monde et l'être humain ; elle n'est pas la nôtre, car l'antiquité tardive et le Moyen Âge ont bouleversé les repères, les idéaux antiques pour en imposer de nouveaux. Ancêtres mais différents de nous, les Grecs et les Romains nous sont de mieux en mieux connus, malgré la difficulté de leur étude qui réclame à la fois beaucoup d'humilité et de rigueur, car il importe de les étudier pour eux-mêmes, sans projeter sur eux nos valeurs devenues chrétiennes. En cela le « clas-siciste » se rapproche petit à petit de l'anthropologue et de l'ethnologue, et les outils du chercheur en sont multipliés d'autant. Dans la mesure où les armes du chercheur se raffinent, il est normal que la connaissance que nous avons de l'Antiquité et le regard que nous portons sur elle se modifient de siècle en siècle ; et c'est ce regard porté sur elle depuis le Moyen Âge que nous tenterons de capter dans la dernière partie de cet ouvrage, afin de prouver au lecteur que la recherche progresse constamment et que, contrairement aux idées reçues, le monde des Grecs et des Romains est un champ d'investigation en pleine expansion.

Chapitre I

Repères chronologiques

La Grèce

Entre 2000 et 1100, on peut parler de la *préhistoire* de la Grèce, dans la mesure où « l'histoire » commence traditionnellement avec l'écriture. Or, l'écriture de l'époque, d'ailleurs encore en partie mystérieuse, ne servait qu'à des fins administratives et commerciales. Aucun texte écrit ne venant rendre compte de l'histoire du temps, la documentation est essentiellement donnée par l'archéologie. Au cours de cette préhistoire, deux civilisations se détachent, brillantes toutes deux, l'une méditerranéenne, la *civilisation crétoise* (ou « minoenne » du nom de son dirigeant, ou encore « égéenne » du nom de la mer qui la baigne), l'autre venue du nord, la *civilisation mycénienne* (ou « achéenne » du nom de son peuple immortalisé par Homère). Elles forment toutes deux la charpente de la civilisation grecque, elles lui donnent toutes deux ses bases structurelles. Les *Crétois,* venus sans doute d'Orient à une date inconnue, ont très tôt mis en place une société centralisée autour de palais royaux ; les plus connus sont ceux de la deuxième génération (après 1700), et parmi eux Cnossos, mis au jour par A. Evans. L'écriture crétoise n'étant pas encore élucidée, que ce soit l'ancienne, hiéroglyphique, ou la plus récente,

Linéaire A, la Crète reste « un beau livre d'images sans légendes » (Ch. Picard), et la tentation est grande, heureusement en général évitée, de combler les vides grâce à la seule imagination. Contentons-nous ici de donner les plus grandes caractéristiques de leur organisation, pour mettre en valeur ce que les Crétois ont légué aux futurs Grecs : habitats autour d'un palais, royal sans doute (« Minos » est peut-être à la Crète ce que « Pharaon » est à l'Égypte), sans rempart, très ouvert sur le paysage et la nature par des fenêtres, des terrasses et des puits de lumière, qui laisse imaginer une vie paisible et peu militarisée ; un confort déjà très raffiné : baignoires et canalisations, braseros mobiles, superbes fresques polychromes sur les murs, pleines de vie, dauphins et autres créatures de la mer, acrobates sautant par-dessus un taureau, personnages maquillés et savamment ornés, comme ceux que l'on appelle « Le Prince aux lys » ou « la Parisienne » ; une puissance née essentiellement du commerce maritime avec l'Égypte, les pays du Levant, la Grèce. Les Crétois y envoient leur céramique très fine dite « à coquille d'œuf », leurs bijoux d'or, leurs pierres gravées ; un village entier, Gournia, est alors voué à l'artisanat. Ils vivent aussi du piratage (dont on retrouve les traces dans la mythologie grecque avec l'histoire de Thésée l'Athénien et de son combat contre le Minotaure crétois), et de l'agriculture ; une religion sans doute animiste d'abord, sans temple mais aux sanctuaires nichés en pleine nature (grottes, rivières), et des divinités essentiellement féminines, déesses de la nature, de la végétation et des animaux (la célèbre déesse aux serpents dont on a découvert plusieurs statuettes, déité au regard redoutable, brandissant à bout de bras des reptiles). Le taureau aussi a une présence obsédante, mais était-il une divinité ? Il est partout : au centre des fresques, les acrobates sautent sur son dos, il prête sa tête à de magnifiques vases, ses cornes forment çà et là de mystérieux autels extérieurs, sans parler de la mythologie dont il est le héros, avec le Minotaure, monstre mi-homme mi-taureau, fruit des amours de Pasiphaé, la femme de Minos, et d'une divinité venue de la mer. Peut-être faut-il voir dans ce taureau crétois le « frère » de ces taureaux orientaux, ceux de Çatal Höyük, ou bien le compagnon d'Ishtar, la redoutable déesse de l'amour et de la guerre entre le Tigre et l'Euphrate. Les fresques laissent par ailleurs imaginer une femme crétoise très libre de ses mouvements, cheveux au vent, maquillée, ornée de bijoux et conduisant elle-même les chevaux de son char. Faut-il en déduire qu'il s'agissait d'une société matriarcale ? Certains franchissent le pas ; d'autres, plus nombreux, se contentent de constater un certain égalitarisme dans les familles gouvernantes. Cette civilisation minoenne, forte de son influence et de son commerce, fut très tôt en contact (commercial, diplomatique, militaire) avec les peuples du continent grec, ces Indo-Européens descendus par vagues successives des Balkans depuis le 2e millénaire et dont les plus puissants sont les Achéens, installés essentiellement dans le Péloponnèse.

Les *Achéens* (ou Mycéniens, du nom de leur plus impressionnante place forte, découverte par l'archéologue allemand H. Schliemann) ont une vie très différente de celle des Crétois : ils vivent dans des royaumes indépendants les uns des autres, rivaux même, dans des forteresses aux remparts gigantesques (« cyclopéens », disaient déjà les Anciens, car seuls les cyclopes, ces monstres titanesques, avaient pu selon eux les construire), sont dirigés par un roi-soldat, le *wanax*, qui s'enrichit des produits de leur agriculture, de leur élevage, de leur artisanat : les produits mycéniens sont retrouvés dans tout le bassin méditerranéen, et les magasins du palais incendié de Pylos, un des rares ports mycéniens, étaient pleins de grandes jarres (*pithoi*) prêtes pour l'expédition. Ils profitent aussi des multiples razzias qui leur fournissent du butin. On connaît au moins deux de ces guerres pourvoyeuses de butin : la fameuse guerre de Troie, embellie au fil de la tradition orale et transformée en épopée au VIIIe siècle par un *aède* (chanteur) qu'on a coutume de nommer Homère (*L'Iliade* et *L'Odyssée*), et la guerre de Crète, qui n'eut pas de poète pour l'immortaliser, mais que l'archéologie atteste sans l'ombre d'un doute. La guerre de Troie eut lieu vers 1250, sur un site encore bien mystérieux puisque les fouilles de Schliemann au nord de la côte turque, à Hissarlik, ont bien révélé une stratigraphie de neuf villes successives dont l'une pourrait certes être celle qui fut conquise par les Achéens, mais il faut convenir que la cité en question ne ressemble guère à la riche cité chantée par Homère. Il se pourrait donc bien que le site n'ait pas été encore localisé avec exactitude. L'autre guerre, moins célèbre, vit les Achéens débarquer en Crète vers 1400. Voulaient-ils piller ou mettre fin à la thalassocratie minoenne ? Les deux sans doute ; toujours est-il que les Achéens retournèrent chez eux avec de nouveaux éléments culturels. Qu'ils aient ramené avec eux des artistes crétois ou copié ce qu'ils avaient vu, on constate de grandes ressemblances entre les fresques et les objets crétois et ceux qui ont été retrouvés dans les palais achéens (Mycènes, Tirynthe, Pylos...). Leur panthéon venu du nord, riche de divinités masculines, s'est vu adouci par la religion crétoise essentiellement féminine, et on a pu dire que la religion grecque est le résultat d'un syncrétisme créto-mycénien, avec la sévérité nordique et la douceur méditerranéenne. Les Mycéniens avaient mis au point une écriture, le Linéaire B, du grec déjà, déchiffrée depuis les années 1950. Des milliers de tablettes d'argile cuites par l'incendie des palais, documents administratifs et commerciaux, donnent de précieux renseignements sur leur organisation très centralisée, leurs productions agricoles, leurs activités commerciales. Le nombre de ces tablettes, l'exactitude des renseignements fournis par les scribes tatillons, visiblement au fait de tout ce qui se produit et se vend dans le royaume, font penser aux sociétés orientales où la bureaucratie tient également beaucoup de place.

Les Achéens, après des centaines d'années de prospérité, ont disparu à leur tour en un siècle : les palais sont détruits au cours du XIe siècle, l'écriture disparaît presque totalement, c'est toute une civilisation qui s'écroule et le début d'une période qu'on appelle souvent « les âges sombres » (jusqu'au IXe siècle). On ne sait pas exactement ce qui s'est passé et on retient soit l'explication traditionnelle, l'invasion dite « dorienne », les Doriens représentant la dernière vague indo-européenne descendue du nord-ouest après les Ioniens, les Éoliens, les Achéens, soit l'une ou l'autre des explications suivantes, dont aucune n'est vraiment satisfaisante : sécheresse brutale, tremblements de terre, conflits internes, révoltes d'esclaves contre les palais... Il faut peut-être combiner plusieurs de ces facteurs pour expliquer l'effondrement de la civilisation achéenne. Le seul fait avéré est le premier grand déplacement de ces Proto-Grecs hors du continent, lorsqu'ils sont allés s'installer, en un premier mouvement colonial, sur les côtes de la Turquie, formant trois régions aux dialectes différents, l'Éolide au nord, l'Ionie au centre et la Doride au sud. Époque « obscure », peut-être. Il n'en reste pas moins que, à cette époque, le peuplement de la Grèce est à peu près achevé, les Ioniens, les Éoliens et les Achéens sont installés, les dialectes sont fixés, les influences digérées, la Grèce n'attend que son éveil. La céramique aussi échappe à l'assombrissement culturel : c'est de cette époque que date la production dite « proto-géométrique », avec ses superbes cercles et demi-cercles impeccablement tracés au compas. Parallèlement, on passe de l'âge du bronze à l'âge du fer, ce dont témoignent l'archéologie et *L'Odyssée* qui connaît les armes de fer, contrairement à *L'Iliade* qui n'usait que d'armes en bronze. La Grèce est en gestation...

VIIIe-VIe siècle : l'époque archaïque

La Grèce s'éveille et retrouve l'écriture, avec un alphabet peut-être apporté par les commerçants phéniciens soucieux d'utiliser une écriture « internationale » plus fonctionnelle que les antiques hiéroglyphes, Linéaires et autres cunéiformes orientaux. Après ces époques obscures se lève un nouveau monde, avec un nouveau mode d'*organisation sociale* qui rompt avec la civilisation achéenne : les Grecs adoptent dans leur grande majorité la *polis,* la cité-État, bien adaptée à une agriculture de sédentaires, une cité autonome qui regroupe autant d'habitants que sa terre peut en nourrir. Les régions du nord et du centre, régions d'éleveurs souvent transhumants, gardent le regroupement par *ethnos* (clan), mieux adapté à leur mode de vie pastoral, avec des communautés villageoises regroupées en unités plus larges selon une hiérarchie pyramidale. Il faut sans doute nuancer l'opposition traditionnelle que font les chercheurs entre l'agriculture de la *polis* et le pastoralisme de l'*ethnos*, mais cette distinction, si elle n'est pas radicale, reste pertinente. Ce changement d'organisation se double d'un changement de *structure politique* : la *polis* n'est plus dirigée par un roi comme chez les Achéens, mais par une oligarchie d'aristocrates propriétaires terriens. Sont-ce les excès de cette classe dirigeante qui ont provoqué une crise sociale et politique ? On voit se mettre en place aux VIIe et VIe siècles dans les différentes cités du monde grec, comme par un phénomène de contagion, un pouvoir personnel fort appelé *tyrannie* (Cypselos à Corinthe, Pisistrate à Athènes, etc. : ils sont des dizaines à prendre le pouvoir au même moment). Loin d'être négatif, ce pouvoir ébranle la suprématie des grandes familles et améliore peut-être un peu la vie du petit paysan dont on sait par *Les Travaux et les Jours* d'Hésiode (poète du VIIIe siècle, auteur aussi de *La Théogonie*) qu'elle était ingrate et malmenée par les « mangeurs de présents » et tous ces *aristoi* « aux sentences torses ». L'effort des tyrans est renforcé par celui des *législateurs* (Dracon, puis Solon à Athènes, Lycurgue à Sparte et bien d'autres) qui, dans les différentes cités, sont chargés par la population de rédiger des codes de lois, premier pas, à Athènes en tout cas, vers l'*isonomia,* l'égalité devant la loi. Les résultats n'ont peut-être pas été à la hauteur des espoirs, à moins qu'une brutale surpopulation n'ait rendu la situation encore plus difficile : la vaste entreprise de colonisation qui s'étale du VIIIe au VIe siècle est peut-être la réponse la plus radicale à ces tensions sociales.

Abandonnant une terre qui nourrit mal les siens, beaucoup de Grecs, jeunes pour la plupart (paysans ruinés, marginaux et avides d'aventures ou de débouchés commerciaux), partent s'installer tout autour de la Méditerranée et fondent des cités-colonies qui, si elles gardent des liens avec leur métropole, ne se développent pas moins en pleine indépendance. Le sanctuaire de Delphes est intensivement sollicité par les candidats-*oikistes* (fondateurs) qui demandent à Apollon des conseils sur le lieu et la date les plus favorables à leur nouvelle installation. Certaines régions de la Méditerranée sont largement colonisées : l'Italie du sud (la *Grande Grèce* pour les Anciens), la Sicile et certaines côtes occidentales (Marseille, Emporion), la Cyrénaïque en Afrique du Nord, la côte nord-est de la Grèce (Thrace), le pourtour du Pont-Euxin (mer Noire). Certaines zones leur sont bien sûr interdites car déjà revendiquées par d'autres peuples : les Phéniciens vivent à Carthage, au sud de l'Espagne et dans quelques îles, sans oublier bien sûr leur terre d'origine, le Levant ; les Étrusques restent aux abords de la mer Tyrrhénienne, et les Égyptiens sont encore puissants. Mais les Grecs parviennent à ajouter à leurs colonies quelques bases commerciales comme Naucratis en Égypte, Al Mina en Syrie. Terres agricoles, ports de commerce, ces colonies qui restent le plus souvent sagement au bord de la mer contribuent à modifier totalement le paysage grec : d'un bout à l'autre de la Méditerranée se développe un sentiment d'*appartenance à la même culture,* soutenue par une même langue (par-delà les différences dialectales), portée vers les mêmes valeurs morales (les épopées d'Homère fixent la tradition et la rendent commune à tous) et la même religion. C'est d'ailleurs pendant cette époque archaïque que le calendrier des grandes fêtes religieuses se met en place : jeux olympiques (à partir de 776), jeux pythiques à Delphes (582), les Grandes Dionysies et les Grandes Panathénées à Athènes... Au-delà de leur appartenance à la cité, les Hellènes ont conscience d'être différents des barbares et liés entre eux par une communauté culturelle, d'où ces grands rassemblements de population qui scellent leur identité. De grands temples viennent dans les cités concrétiser cette appartenance :

temple d'Artémis à Éphèse et à Corcyre, Héraion à Samos et à Olympie, temple d'Apollon à Delphes, à Corinthe, à Syracuse... Les milliers de kilomètres qui les séparent ne les empêchent pas d'obéir aux mêmes rites, de répandre la même architecture. L'art connaît également un nouvel élan qu'encouragent les nouveaux débouchés commerciaux : sculpture « archaïque », céramique « orientalisante » ornée d'animaux réels ou fabuleux au VIIe siècle, vases à figures noires puis rouges en Attique au VIe siècle, toutes ces productions profitent des nouveaux marchés liés aux colonies pour se développer, s'affiner, et elles trouvent également dans ces horizons lointains des influences bénéfiques et des sources d'inspiration.

Ve siècle : l'époque classique

Ce sont les *guerres médiques* qui servent de transition entre l'époque archaïque et l'époque classique. La situation s'est lentement dégradée en Orient depuis que Cyrus, le roi perse, a soumis les cités grecques d'Asie Mineure en 546 : l'Ionie a bien tenté de se soulever en 499, mais sans grande aide et sans succès. Et le roi perse, Darius cette fois, débarque avec sa flotte en 490 à Marathon. Mais Miltiade dirige Athéniens et Platéens et leur donne une victoire aussi glorieuse qu'inattendue : les Grecs retrouvent leur tranquillité pendant 10 ans. En 480, le fils de Darius, Xerxès, tente à nouveau de soumettre la Grèce, rallie un grand nombre de cités et lance deux armées parallèles : l'armée de terre descend avec Mardonios en Grèce centrale, passe le défilé des Thermopyles en massacrant Léonidas et ses 300 Spartiates, envahit Athènes et la saccage, pendant que la population trouve refuge au sud du golfe saronique ; mais la flotte orientale rencontre la flotte grecque dans la baie de Salamine où Thémistocle l'a placée, véritable nasse où les lourds bateaux phéniciens des Perses s'éperonnent et se perdent. La bataille de Salamine, vu les forces en présence, est une victoire grecque aussi inattendue que l'a été Marathon dix ans auparavant, d'où les textes pleins de fierté qu'elle a inspirés (*Les Perses* d'Eschyle, le compte rendu épique d'Hérodote dans ses *Histoires*). L'année suivante, en 479, les Grecs consolident leur victoire en battant les Perses sur terre à Platées et sur mer au cap Mycale : les Perses quittent enfin la Grèce et n'y reviendront plus. Ces guerres médiques, incident sans importance pour les Perses mais symbole pour les Grecs de la liberté et de la bravoure helléniques, ont fortement contribué à donner aux Grecs la conscience d'une unité nationale, et à Athènes un rôle de premier ordre dans le monde. Et ce sur deux plans : en *politique intérieure,* il était manifeste que si les premières victoires (comme celle de Marathon) avaient été celles de l'armée de terre, celles des *hoplites,* donc des citoyens riches de la cité, les dernières, en particulier les batailles navales comme celle de Salamine, reposaient sur les marins de la flotte athénienne, ces *thètes,* ces étrangers et peut-être même ces esclaves, toute cette multitude de petites gens que l'ancienne génération méprisait, mais qu'on ne pourrait plus ignorer désormais ; quant à la *politique extérieure,* lorsque les Spartiates rappelèrent leurs troupes dans leurs casernes à la fin des guerres médiques, ils laissèrent *de facto* Athènes seule responsable de la sécurité en Méditerranée. C'est pourquoi les cités grecques se tournèrent tout naturellement vers elle pour en faire la cité organisatrice de l'alliance militaire *(symmachie)* nommée « ligue de Délos », garante de la sécurité en Méditerranée. Politiquement et militairement, Athènes se trouvait donc propulsée au premier plan, prête à devenir la cité la plus importante de la Méditerranée grecque, la capitale du monde classique, l'« École de la Grèce » aux yeux de Thucydide (*Histoire de la guerre du Péloponnèse,* II, 41).

De façon progressive, Athènes remplace donc à l'intérieur le pouvoir tyrannique par une organisation de plus en plus *démocratique.* Phénomène lent qui voit les institutions athéniennes remaniées par des hommes comme Solon, Clisthène (en 508-507) et Éphialte, pour arriver enfin à l'époque de Périclès (magistrat suprême de 443 à 429) à un état sinon achevé, du moins lentement mûri. Nous étudierons dans la deuxième partie les grandes institutions de cette démocratie. Contentons-nous ici de constater que le monde grec s'est vu petit à petit coupé en deux, avec d'un côté les cités protégées, ou influencées par la démocratie athénienne, et de l'autre celles qui étaient restées aristocratiques, dont la plus absolue est bien sûr la cité péloponnésienne Sparte, aussi « dorienne » d'origine et de caractère qu'Athènes pouvait être « ionienne », pour reprendre les deux ethnies fondatrices. Pendant la petite centaine d'années que représente l'époque dite « classique », la cité de Périclès se construit *un empire à la fois économique, politique et culturel.* Politique parce qu'Athènes est à la tête officiellement de la *symmachie* vouée à la défense commune contre les Perses ; cette alliance militaire va se transformer bien vite en un Empire athénien dans lequel les cités-alliées deviennent peu ou prou des cités-sujettes : même après la signature du traité qui officialise la paix entre Grecs et Perses (paix de Callias en 449) et rend donc la Ligue inutile, Athènes continue à percevoir le trésor de guerre, le *phoros* qui, naguère entreposé à Délos, a été bien vite rapatrié dans les coffres d'Athènes (en 454) et utilisé à d'autres fins que la défense commune. La flotte athénienne impose sa loi, perçoit le tribut dans toute la mer Égée et châtie les cités récalcitrantes. Non contente d'imposer le *phoros,* Athènes impose aussi sa monnaie, ses poids et mesures, décision dans laquelle on peut voir une volonté de resserrer les liens avec les alliés, mais aussi une coupable ingérence dans la vie des cités naguère autonomes. Cet apport d'argent lui permet bien sûr de mener grand train (politique de grands travaux qui embellissent l'Acropole) et assure un revenu et un bon niveau de vie à tous les citoyens, une démocratie renforcée et un rayonnement culturel qui attire toute l'intelligentzia méditerranéenne ; Périclès, chef de la démocratie et aristocrate cultivé, invite avec sa compagne Aspasie tous ceux qui font pour nous la renommée de la culture classique : de l'historien Hérodote d'Halicarnasse au rhéteur Gorgias de Sicile, du tragique

Sophocle au scientifique Anaxagore, Athènes offre au monde une vitrine resplendissante qui, il faut le reconnaître, doit beaucoup aux menées impérialistes et aux abus de pouvoir. C'est toute l'ambiguïté athénienne : un remarquable effort de démocratie intérieure, mené à bien grâce à une exploitation impérialiste de ses alliés.

C'est, selon Thucydide, cette puissance athénienne devenue insupportable aux alliés qui provoqua en 431 *la guerre du Péloponnèse,* la guerre fratricide entre Athènes et Sparte, sa sœur ennemie. « Il s'agit de la perte d'un empire », prévient Périclès (Thucydide, *Histoire de la guerre du Péloponnèse,* II, 63, 2), et toutes les causes apparentes qui ont provoqué la guerre ne sauraient cacher celle-ci, plus profonde : les alliés excédés se tournaient vers Sparte et lui demandaient de les libérer de l'ingérence athénienne. De 431 à 404, les cités grecques se déchirèrent, mais le combat n'était pas égal : le Grand Roi, le roi perse, surveillait de près les événements et soutint financièrement les Spartiates, leur permettant de battre les Athéniens sur leur propre terrain, c'est-à-dire sur mer. Athènes de son côté, ayant perdu Périclès durant l'épidémie de peste de 429, fut très mal soutenue par des chefs démagogues (Cléon) ou arrivistes (Alcibiade) qui l'entraînèrent dans de terribles catastrophes comme la bataille de Sicile en 413 au cours de laquelle des milliers de soldats athéniens moururent dans des conditions effroyables. La victoire spartiate de 404 est donc une victoire logique, et, avec l'empire d'Athènes, c'est aussi sa démocratie qui s'écroule. Ses futures renaissances politiques ne seront que de pâles reflets de son rayonnement passé, même si son prestige culturel survivra pendant encore des siècles.

IVe siècle : les luttes intercités et l'intervention macédonienne

La victoire militaire de Sparte ne permit pas d'instaurer une paix durable. Les 50 années qui suivent voient les hégémonies successives de plusieurs cités : Sparte, Athènes de nouveau, Thèbes, chacune essayant de dominer les autres, tour à tour aidées et trahies par le roi de Perse qui profite de cette zizanie et exerce une politique de bascule en aidant les unes contre les autres. Aux conflits extérieurs s'ajoutent bien évidemment des tensions politiques internes : si Athènes réinstaure un semblant de démocratie, elle n'en condamne pas moins à mort Socrate, trop libre penseur ; c'en est fini du théâtre libre et des grands débats d'idées qui ont fait la grandeur de la cité, et comme le cœur n'y est plus, il faut payer de plus en plus cher les citoyens (augmentation du *misthos*, le dédommagement financier) pour qu'ils daignent faire leur devoir et siéger aux assemblées.

Outre le roi perse, il est un autre souverain qui profite de la situation pour intervenir et descendre subrepticement en Grèce du sud : Philippe II, roi de Macédoine, assez habile pour renforcer d'abord son royaume, réorganiser son armée, améliorer sa cavalerie, assez intelligent pour profiter des dissensions entre les Grecs et s'imposer petit à petit chez eux comme arbitre. Malgré les avertissements répétés des démocrates comme Démosthène, les Athéniens ne font pas l'effort militaire indispensable pour repousser le barbare macédonien, et Philippe n'a aucun mal à écraser à Chéronée, en 338, les armées des cités du sud. C'en est fait de l'indépendance des cités. Mais il faut bien avouer que, en les envahissant, Philippe contribue aussi à faire cesser leurs dissensions et à les réunir. En détournant leur colère contre l'ennemi héréditaire perse, en se voulant le chef des Grecs contre le despote oriental, en leur proposant une expédition magistrale en Orient, Philippe fait l'unité des Grecs, une unité qu'ils n'avaient jamais connue avant lui.

En 336, à la mort de Philippe, son fils Alexandre devient roi et impose à son tour sa loi aux cités. Il châtie Thèbes qui s'est déjà révoltée, et met à exécution la conquête orientale que son père avait imaginée. De 334 à 323, le Macédonien hellénisé, élève d'Aristote et admirateur d'Homère, conquiert tout l'Empire perse et au-delà : Asie Mineure, Anatolie, pays du Levant, Égypte, villes perses et vallée de l'Indus lui procurent un gigantesque butin. Grâce à lui, l'hellénisme se répand jusqu'en Inde, au-delà de l'Himalaya ; Orient et Occident s'influencent et s'enrichissent mutuellement en un métissage culturel qui ne plaît pas à tout le monde et qui cause indirectement la perte du conquérant. Sa mort en 323 laisse un immense empire que ses lieutenants et compagnons se partagent non sans frictions : c'est l'âge des Diadoques (« successeurs »), et le début de l'époque hellénistique.

IIIe-IIe siècle : l'époque hellénistique

L'empire d'Alexandre est donc divisé à sa mort en plusieurs royaumes, qui mettent 40 ans (323-277) à se stabiliser, car chaque roi grec n'a de cesse de s'emparer du royaume voisin. On cite surtout l'Égypte des Lagides, la Macédoine des Antigonides, l'Asie des Séleucides, le royaume de Pergame des Attalides, dynasties aux richesses infinies, dont les territoires recouvrent toute l'*oikoumène* (monde habité) alors connue. Ces royaumes voient se développer différents centres culturels et politiques (Alexandrie, Antioche, Pergame, Athènes restant malgré tout importante) et dépassent en richesses et en zones d'influence tout ce que le monde grec a précédemment connu. Mais il leur advient ce qui est advenu aux cités : les zizanies sont permanentes et, comme les royaumes sont incapables de s'entendre, c'est une fois encore un arbitre extérieur, intéressé à plus d'un titre et opportuniste en diable, qui va de plus en plus intervenir dans leurs affaires. À partir de 230, Rome se fait pressante, songe à défendre ses intérêts en Orient, puis se juge assez forte pour conquérir purement et simplement la Grèce hellénistique (guerres de Macédoine). Certains l'aident outrageusement, comme le dernier roi de Pergame, qui préfère en 133 léguer son royaume à Rome plutôt que de le voir tomber aux mains de ses rivaux ; d'autres sont facilement vaincus, comme le royaume lagide, qui disparaît avec Cléopâtre en 31 avant J.-C. Un léger retour en arrière s'impose pour expliquer comment Rome en est arrivée à nourrir de telles ambitions.

Rome

Quelle que soit la date de la fondation de Rome (753 est la date traditionnelle, mais l'archéologie témoigne d'une réalité plus ancienne), les habitants de la petite cité de Rome étaient en contact avec deux peuples qui les influencèrent beaucoup : les *Étrusques* étaient déjà en Italie centrale au IXe siècle, et à la fin du VIIe siècle leurs cités, leur religion, leur gouvernement (monarchique puis républicain à certains endroits), leurs activités agricoles et commerciales furent pour les Romains des sources d'inspiration. Les Étrusques finirent même par s'immiscer profondément dans les affaires de la nouvelle cité puisque les trois derniers rois de Rome furent étrusques : Tarquin l'Ancien (616-579), Servius Tullius (578-535) et Tarquin le Superbe (534-510), d'où l'expression de Denys d'Halicarnasse, qui fit de Rome une *polis Tyrrhenis,* « cité étrusque » (I, 29, 2). Il est vrai que les Romains secouèrent le joug de ces prédécesseurs trop envahissants puisque le dernier roi fut chassé, et la royauté, définitivement abolie ; il n'en reste pas moins que Rome devint une véritable ville grâce à eux, et qu'elle gardera toujours beaucoup d'éléments de cet héritage.

Quant aux *Grecs,* installés dans le sud de l'Italie et en Sicile au moment des grandes colonisations, leurs activités commerciales les mettaient en contact à la fois avec les Étrusques (on a trouvé beaucoup de céramique grecque dans les tombes étrusques), avec les Romains et avec les Carthaginois, installés sur la côte africaine depuis le IXe siècle s'il est vrai que Carthage fut fondée en 814. Leur concurrence limitait l'expansion de leurs rivaux, et le sud de l'Italie, prospère, pouvait à juste titre s'appeler la « Grande Grèce ».

L'histoire de la royauté à Rome est trop imprégnée de légende pour que l'on s'y attarde ici. Retenons que sept rois, traditionnellement, se succèdent entre 753 et 509, et que les Romains chassent leur dernier roi au moment où les Grecs remplacent la tyrannie par une forme de gouvernement plus démocratique, comme si une vague de démocratisation se répandait de part et d'autre de la mer adriatique au même moment.

509-27 avant J.-C. : la République

La *Res publica*, dirigée non plus par un roi mais par deux consuls, peut être perçue comme la longue lutte entre deux classes sociales, les *patriciens* (qui pouvaient se prévaloir d'un ancêtre fondateur) et les *plébéiens* (la foule sans ancêtres). Le patriciat monopolisa d'abord, après la chute de la royauté, Sénat, prêtrises et magistratures, et pendant plusieurs centaines d'années la plèbe lutta pour obtenir un rôle politique et un code de lois lui assurant stabilité et dignité (la *Loi des XII Tables* date de 450). L'expression *Senatus PopulusQue Romanus* (SPQR) prouve bien que les deux entités se faisaient face, et il faudrait beaucoup d'acharnement politique et de révoltes pour parvenir à l'égalité politique : les plébéiens commencèrent par avoir leurs propres magistrats, les tribuns de la plèbe, et obtinrent après maintes étapes et tardivement, en 367, que la magistrature suprême, le consulat, soit partagé entre un patricien et un plébéien (*lois liciniennes*). Le mariage entre patricien et plébéien, rendu licite en 445, ouvrait la voie à une plus grande égalité. Édilité curule (364), dictature (356), censure (351), préture (336), et même charges religieuses d'augure et de pontife (300), telles étaient les carrières obtenues de haute lutte par le plébéien. Mieux : en 287, les décisions de la plèbe avaient force de lois (*plébiscites*) ; assemblées du patriciat et assemblées de la plèbe se partagaient équitablement l'activité législative. Cette refonte de la société fit que les familles riches du patriciat et de la plèbe s'assimilèrent pour former la *nobilitas,* nouvelle classe politique où quelques familles avaient la haute main sur toute la magistrature et son *cursus honorum,* ne laissant que très parcimonieusement entrer dans ses rangs des *hommes nouveaux* (non issus de cette aristocratie) comme Marius. Le *Populus Romanus* disposait de quatre assemblées aux fonctions bien spécifiques. Les élections de magistrats (pour un an), par l'intermédiaire de ces différentes assemblées, donnaient un vernis démocratique à un système qui privilégiait en réalité la *nobilitas* et la fortune. Le Sénat, formé des magistrats supérieurs sortis de charge (donc tous issus des classes fortunées de la société), maintenait la tradition des ancêtres, le *mos maiorum*, et son *auctoritas* lui donnait un pouvoir judiciaire, financier et politique des plus solides. La République des IIe et Ier siècles eut à résoudre de nombreux conflits internes : crise agraire (qui provoqua l'intervention de *Populares* comme les Gracques et la redistribution des terres publiques souvent illégalement occupées par les riches), la guerre sociale (les Italiens « alliés » réclamant la citoyenneté romaine), des révoltes serviles (en Sicile en 135, puis la « guerre » de Spartacus en 73-71) : autant de tensions qui favorisaient l'émergence d'un pouvoir fort, ce qui arriva.

Parallèlement à ces luttes internes, Rome connaît une expansion considérable pendant la République. Originaires d'une petite cité au bord du Tibre, les Romains ont commencé par assurer leur sécurité au nord (les Gaulois sont repoussés au-delà du Pô, l'Étrurie est annexée). Puis ils sont descendus vers le sud (guerres samnites) et ont fini par s'emparer des cités grecques de Grande Grèce (Tarente en 272). Leur extraordinaire faculté d'adaptation leur permet d'installer immédiatement après leurs conquêtes un réseau routier et toute l'infrastructure nécessaire à une bonne gestion du territoire. Après avoir conquis toute l'Italie, ils éliminent leurs rivaux carthaginois en trois guerres (guerres puniques) et profitent de l'occasion pour s'installer dans tous les territoires confisqués à leurs ennemis : péninsule ibérique, îles de la Méditerranée occidentale, Afrique du Nord, sud de la Gaule. Toutes ces guerres charrient vers Rome richesses et esclaves en abondance ; les *latifundia*, grands domaines à main-d'œuvre servile, se multiplient ; et l'invasion de l'Italie du sud donne aux Romains le goût de la culture grecque. Est-ce pour mieux s'en imprégner qu'ils se lancent alors dans la conquête de la Grèce ? Après avoir annexé l'Illyrie et le royaume de Macédoine, Rome s'empare de la Grèce du sud et détruit totalement Corinthe en 146. Cette même année, les Romains rayent Carthage de la carte, et la violence de ces deux pillages constitue un message clair à toute la Méditerranée : d'une rive à l'autre elle sera romaine. Il leur reste à instaurer la province d'Asie en 129, lorsque le dernier roi de Pergame, Attale, leur lègue son royaume d'Asie Mineure. Et les campagnes du Ier siècle en Gaule (Jules César franchit le Rhin et la Manche) et en Orient (l'Égypte est annexée en 30) font des Romains les seuls maîtres de la Méditerranée.

Ces guerres modifient considérablement le paysage social de Rome (hellénisation de la culture et du mode de vie, développement des grandes propriétés foncières et paupérisation du petit paysan ruiné, par exemple, lors du passage des armées puniques d'Hannibal) et son organisation politique. Les victoires militaires font des généraux de l'armée des héros ; forts de leurs triomphes, ils sont peu soucieux des institutions républicaines et ambitionnent le pouvoir personnel sans partage : Marius, Sylla, Pompée, Jules César, autant de chefs de guerre qui profitent de leurs succès et de leur popularité, à des degrés divers, pour obtenir le *consulat unique* et finalement le régime *dictatorial*. Le « grignotage » du pouvoir est progressif mais rapide : Sylla veut être dictateur pour 10 ans, César décide de l'être à vie. Ces tentatives viennent-elles trop tôt ? Font-elles craindre au peuple le retour de la royauté ? C'est ce que laisse entendre l'assassinat de César le 15 mars 44, peu de temps après qu'il a annoncé sa toute-puissance viagère.

Le principat d'Auguste

La leçon est sans doute retenue par son successeur, Octave, qui met en place après une période de guerre civile un nouveau régime politique appelé *principat*. Octave a un rival, Marc-Antoine, qu'il défait à Actium (31), écrasant du même coup la reine d'Égypte Cléopâtre, dernière représentante de la dynastie lagide. Seul dans la course au pouvoir, Octave entreprend alors de faire oublier la dictature et de restituer au Sénat les pouvoirs que les généraux lui ont ôtés, d'où une *Respublica* à nouveau confiée au Sénat et au *Populus Romanus,* dans la meilleure tradition républicaine, le « prince » se voulant davantage un arbitre, un *Primus inter pares,* qu'un « empereur » au sens moderne du terme.

Le statut d'Auguste reste très ambigu et fascinant pour les chercheurs modernes, car s'il refuse les privilèges, s'il partage le consulat avec un collègue, puis renonce purement et simplement à cette charge, s'il en appelle aux anciennes vertus républicaines de modestie et d'austérité, il détient en fait le pouvoir quasi absolu, grâce aux privilèges que le Sénat lui a conférés, grâce à ses fabuleuses richesses, au nombre de ses *clientes* (protégés) et grâce à la divinisation de ses ancêtres qui conduit tout droit à la théocratie. Direction de l'armée en tant qu'*Imperator, imperium* proconsulaire qui le rend maître de toutes les provinces, puissance tribunicienne à vie, Grand Pontife, fils du « Divin Jules », *Princeps Senatus,* il cumule tant de charges qu'il en arrive à maîtriser à son profit tous les rouages de la vie républicaine. Empire préparé avec beaucoup d'intelligence, et principat suffisamment long pour poser de solides assises au pouvoir. Auguste donne à Rome cette *Pax Romana* qu'elle appelle de tous ses vœux, après toutes ces guerres, ces périodes de terreur et de proscription que les dictateurs ont tour à tour provoquées.

L'Empire

Étrange « république » qui voit son « prince » régler les problèmes de sa succession et choisir un héritier ! En fait la situation est claire, pour nous modernes du moins : il s'agit bel et bien d'un souverain, bien qu'Auguste s'en défende. Certains Anciens eux-mêmes ne s'y trompaient pas : Suétone le compte parmi les 12 empereurs (*Vie des douze Césars*). Quoi qu'il en soit, Auguste inaugure une ère nouvelle et apporte aux Romains une longue période de puissance et de calme bien appréciée après ce siècle de guerre civile et de malheurs. Après bien des rebondissements et d'assez mauvais gré (ses héritiers directs, enfants et petits-enfants, meurent les uns après les autres), Auguste désigne Tibère comme son successeur, l'obligeant à divorcer et à épouser sa fille – déjà plusieurs fois mariée – afin de légitimer son règne.

On avait l'habitude encore récemment de partager l'Empire romain en deux, le *Haut-Empire* et le *Bas-Empire* ; le Haut-Empire correspondait à son apogée (« siècle des Antonins ») et le Bas-Empire à son déclin, amorcé au IIIe siècle de notre ère. H. I. Marrou, P. Brown et d'autres ont montré ce qu'il fallait penser de ces expressions : le IVe siècle[2] voit l'Empire se redresser, il est donc faux de parler de déclin continu ; par ailleurs le mot « déclin » n'est pas approprié : « mutation » le serait davantage, le monde nouveau qui éclôt pendant l'antiquité dite « tardive » est plein de richesses et d'espérance et n'a donc pas à souffrir de la comparaison avec l'ancien. Gardons cependant le IIIe siècle comme période charnière : l'historiographie récente nous y encourage encore[3], et les périodisations sont tout de même très pratiques quand il s'agit d'une unité temporelle qui ne couvre pas moins de cinq siècles.

Le Haut-Empire

Jusqu'au IIe siècle, le pouvoir est héréditaire, en fonction des rejetons disponibles. Jusqu'à Néron (donc jusqu'en 68), la dynastie des Julio-Claudiens garde le pouvoir : on a un héritier par adoption, sinon par le sang, d'autant que plusieurs empereurs meurent comme Auguste, sans fils légitime. Les adoptions sont risquées, mais beaucoup sont judicieuses : Nerva adopte Trajan

---

2. Les dates sont désormais « après J.-C. », sauf mention contraire.

3. F. Jacques et J. Scheid, *Rome et l'intégration de l'Empire (44 av. J.-C.-260 apr. J.-C.)*, Paris, PUF, « Nouvelle Clio », 1990 ; J. Le Gall et M. Le Glay, *L'Empire romain. Le Haut-Empire de la bataille d'Actium à la mort de Sévère-Alexandre (31 av. J.-C. - 235 apr. J.-C.)*, Paris, PUF, coll. « Peuples et civilisations », 1987.

qui lui-même adopte peut-être Hadrien. Ce dernier adopte Antonin qui lui-même choisit pour fils Marc Aurèle, autant de choix heureux qui font de l'époque des Antonins une période relativement bénie des dieux. Mais à partir du IIe siècle se confirme une tendance qui voit les armées des frontières « faire » et « défaire » les empereurs, comme au temps des dictateurs, sur la promesse d'une augmentation de solde, un *stipendium*. Ces tentatives sont encore balbutiantes au Ier siècle (les empereurs éclair de l'année 69 par exemple qui ne règnent guère plus de quelques semaines), plus fréquentes au IIe, et les crises du IIIe siècle rendront le phénomène habituel. Ce procédé facile provoque de multiples *pronunciamentos* aussi inutiles que provisoires, avec quantité d'empereurs-usurpateurs surgis des quatre coins de l'Empire, nommés arbitrairement par des légions toutes prêtes à marcher sur Rome.

Mais le Haut-Empire n'en est pas là et augmente encore ses possessions : d'autres provinces se créent, on repousse les Germains au-delà du Rhin et du Danube, Trajan conquiert la Dacie, annexe l'Arabie (en 106), Hadrien construit son mur pour contenir les Brigantes en gros sur le territoire écossais (en 121-122). Les possessions n'ont jamais été aussi étendues, protégées par des fortifications disséminées sur le *limes* (frontière), garanties par la loyauté des États vassaux plus que par une armée qui, pour impressionnante qu'elle soit, ne dispose pas d'effectifs en rapport avec la taille de l'Empire (comment cela serait-il possible, d'ailleurs ?).

Le Bas-Empire

Cette belle harmonie se rompt au IIIe siècle : le *limes* est débordé à l'est et à l'ouest. En Orient, ce sont les Perses sassanides qui se montrent plus redoutables encore que leurs prédécesseurs parthes ; ils saccagent Antioche en 253 et enlèvent même un empereur, Valérien, en 260. En Occident, le Danube et le Rhin ne parviennent plus à contenir les barbares celtes, Goths, Alamans, Francs, dans leurs grandes migrations d'est en ouest. Mais Rome trouve encore des réponses, grâce surtout à l'empereur Dioclétien (284-305) qui, comprenant qu'un territoire aussi grand ne peut plus être contrôlé par un seul homme, inaugure un pouvoir à quatre têtes, la *tétrarchie*. Ce système donne à l'Empire un sursis d'une bonne centaine d'années. Chacun des quatre empereurs règne dans une capitale organisée sur le modèle romain (Trèves en Allemagne, Milan en Italie, Sirmium en Pannonie et Nicomédie en Bithynie), l'information circule de l'une à l'autre, et chaque César est aux premières loges s'il faut intervenir dans sa région : cette organisation a largement contribué à développer l'administration, la bureaucratie, la communication, et les chancelleries médiévales lui doivent beaucoup. Même si le goût du pouvoir pousse son successeur Constantin à assassiner ses trois collègues, on garde du système une nouvelle capitale, symbole du déplacement vers l'est des intérêts – et des inquiétudes – de l'État : Constantinople, la future Istanbul, devient la nouvelle capitale du monde romain en 330. Quelque temps après, le *limes* doit reculer : les Perses poussent à l'est, et les Huns obligent les Wisigoths à passer le Danube en 376. En 395, l'Empire est déjà partagé entre les deux fils de Théodose : l'Orient revient à Arcadius ; l'Occident, à Honorius. Ce qui n'empêche nullement les « barbares » de pousser plus avant, surtout qu'ils savent maintenant que l'union fait la force et que le *statu quo,* même s'il a fait ses preuves pendant des siècles, n'a que trop duré : Alaric, chef des Wisigoths, conduit Vandales, Alains, Alamans dans un long circuit qui les amène en Grèce (401), en Gaule, en Espagne (406) et enfin à Rome qu'ils pillent en 410. Le « sac de Rome » frappe tellement l'imagination des sociétés « civilisées » qu'on songe à la fin du monde, et saint Augustin en profite pour commencer la rédaction de *La Cité de Dieu* : Rome n'étant pas éternelle, il faut s'en remettre à un pouvoir plus sûr... L'empire d'Occident s'effrite, les Vandales débarquent en Afrique du Nord, Attila est arrêté de justesse, des petits royaumes indépendants s'installent un peu partout sur son territoire, jusqu'à ce que le dernier empereur de Rome capitule, en 476. Ironie de l'histoire :

il s'appelle Romulus, comme le premier. Bien sûr, les barbares ne sont pas les seuls responsables de la chute de l'empire d'Occident : les causes sont multiples. Le christianisme qui se développe peu à peu répand de nouvelles valeurs incompatibles avec celles de la tradition ; l'armée, devenue mercenaire dans l'âme, réclame de plus en plus d'augmentations, fournies par des impôts toujours plus lourds qui accablent le petit peuple ; la paysannerie ruinée par les impôts et l'inflation se replie sur elle-même, déserte les routes par ailleurs infestées de brigands, ne fait plus marcher le commerce. Le fossé entre villes et campagnes se creuse inexorablement, et le pouvoir n'est pas à l'abri de la corruption la plus éhontée. Ce sont donc mille raisons, conjuguées les unes aux autres, qui expliquent l'arrivée des « barbares » au pouvoir. Encore qu'il faille nuancer : toutes les régions ne sont pas touchées, l'archéologie montre que de nombreuses provinces sont restées à l'abri des troubles (l'Afrique, par exemple, a peu souffert), et certains rois barbares sont très respectueux de Rome, comme Théodoric qui désire naïvement préserver les valeurs de la *Romania*. Toute communication n'est d'ailleurs pas coupée avec l'Empire qui continue à prospérer en Orient, l'empire de Byzance, Empire romain d'Orient qui saura préserver à la fois la tradition grecque, le pouvoir romain et la nouvelle religion chrétienne, gageure admirablement remplie. Mais ceci est une autre histoire : l'antiquité classique cède sa place à l'antiquité tardive, qui sort des limites de ce volume…

Chapitre II

La Méditerranée : creuset de la civilisation classique

La Grèce et Rome formant une seule et même civilisation, il est possible de parcourir cette Méditerranée afin de savoir *comment cette unité culturelle s'est construite,* comment la Raison occidentale est née, où et comment ces deux peuples ont jeté les bases culturelles dont nous sommes encore tributaires, dans lesquelles nous puisons encore références et légitimité. Ce chapitre veut insister non plus sur le déroulement des faits, mais sur *la formation de la pensée,* l'émergence des sciences, de la philosophie, de toutes ces formes littéraires (histoire, poésie, théâtre...) que nous illustrons encore. Le monde classique ne se limite pas à Athènes et à Rome ; beaucoup d'autres régions de la Méditerranée ont contribué à l'élaboration de ces valeurs qui, redécouvertes par la littérature à la Renaissance, sont longtemps restées notre seule source d'information sur les Grecs et les Romains. C'est donc *un survol géographique et culturel* que nous allons effectuer ; il s'achèvera avec la civilisation romaine qui a su donner à la Méditerranée une cohésion inégalée.

Asie Mineure et Grande Grèce

Entre 1000 et 600 avant J.-C., deux zones de colonisation sont *culturellement* très importantes pour le développement de la pensée classique : l'*Asie Mineure,* c'est-à-dire la côte de la Turquie, « berceau de l'hellénisme », et l'*Italie du sud,* la « Grande Grèce ». En *Asie Mineure,* les cités grecques (Milet, Éphèse...) vivent confortablement de leur agriculture et de leur commerce au contact des civilisations orientales (royaume perse, couloir syro-palestinien, Égypte) qui, vu leur ancienneté, ont eu le temps de rassembler de nombreuses connaissances empiriques : observations du ciel grâce aux prêtres chaldéens de Mésopotamie, géométrie grâce aux arpenteurs égyptiens qui découpent le territoire après chaque crue du Nil, anatomie par l'intermédiaire des momifications, etc. Les Grecs reçoivent cet héritage, mais vont pousser plus loin ce qui n'était chez leurs prédécesseurs que des observations et des savoirs pratiques teintés de prescriptions religieuses et d'interdits sacrés. C'est ainsi qu'apparaissent les premiers philosophes-physiciens-mathématiciens de Milet, ceux que l'on appelle les « Ioniens » ou les « présocratiques » (Thalès, Anaximandre, Anaximène...) qui lancent l'« École de Milet » et posent les premières questions à caractère philosophique et scientifique sur le monde, son origine et son avenir, la matière, l'homme et sa place dans l'univers, l'existence de la divinité. D'autres chercheurs, pour des raisons en général politiques (pression perse en Asie Mineure), émigrent et vont s'installer en *Italie du sud* ; Pythagore par exemple y fonde son École pythagoricienne, secte très fermée où les disciples sont à la fois mathématiciens, musiciens (puisque tout est chiffre et harmonie dans le monde) et mystiques très influencés par les courants de pensée orientaux. Parallèlement se forment en Grande Grèce d'autres écoles comme celle des Éléates, créée par Xénophane de Colophon et où officient Parménide puis son élève Zénon, célèbre pour ses paradoxes prouvant que l'Être ne peut qu'être Un et immobile (Achille et la tortue est peut-être le plus connu de ses paradoxes naissant de l'hypothèse du mouvement) ; et en Sicile avec Empédocle d'Agrigente. Ces deux courants, ionien et occidental, restent très liés à un troisième, celui des Abdéritains (Abdère est une colonie ionienne en Thrace), célèbre pour les deux fondateurs de l'atomisme, Leucippe et Démocrite.

Philosophie et science ne sont pas les seules à naître en Orient : la première œuvre poétique en grec en est également originaire puisque les épopées d'Homère ont sans doute été écrites en Asie Mineure. Les premiers poètes lyriques sont également des Grecs d'Orient : Alcée, Sappho sont de Lesbos ; Archiloque vient de Paros ; Mimnerme de Colophon. Cette importance culturelle des régions périphériques ne se démentira pas ensuite puisque, même à l'époque classique, on observe qu'Héraclite, l'« Obscur », celui qui voit dans le feu le moteur de l'univers, est d'Éphèse ; Hérodote, premier historien de l'humanité, vient d'Halicarnasse, au sud de l'Asie Mineure ; Gorgias, grand maître des sophistes, vient de Sicile où ont déjà officié Teisias et Corax ; et Hippocrate, le premier médecin scientifique, est né à Cos, une île de la mer Égée. D'est en ouest, la Méditerranée entière apporte son tribut à la culture grecque, et Athènes aura le grand mérite d'attirer tous ces intellectuels dans ce qu'on peut appeler la première capitale culturelle de l'Occident.

Athènes

ve siècle avant J.-C. : Athènes devient la ville-phare de la Méditerranée. Sa démocratie directe est une vraie révolution politique pour l'époque, et son chef, Périclès, formé à l'école des sophistes et du scientifique Anaxagore, invite à Athènes toute l'intelligentzia artistique et scientifique du monde grec. L'époque classique, si courte en fait (un siècle tout au plus), rassemble toute la production intellectuelle qui a tant influencé notre civilisation occidentale : naissance de l'*histoire*, au sens scientifique du terme, avec Hérodote, Thucydide, Xénophon ; naissance du *théâtre*, avec Eschyle, Sophocle et Euripide pour la tragédie, Aristophane pour la comédie politique. Ce sont eux qui ont tant inspiré les « classiques » du XVIIe siècle, Racine, Corneille, Molière... Naissance de la *philosophie* dite

« classique », avec Socrate, Platon, Aristote. Toute la philosophie occidentale restera pendant des siècles tributaire de leur système de pensée, inlassablement recopié et réinterprété par les copistes byzantins puis ottomans et arabes ; perfection de l'art du discours, la *rhétorique,* avec les sophistes venus de Grande Grèce (Gorgias et bien d'autres) ; fixation de l'*art* dit « classique », avec des architectes et sculpteurs géniaux comme Phidias ou Praxitèle, tous protégés par Périclès ; développement de la *science médicale* avec Hippocrate, de l'*astronomie* avec Anaxagore ; c'est un véritable bouillonnement intellectuel que la démocratie suscite, ne censurant guère que les recherches qui risquent de nuire à la cohésion sociale et de jeter un doute sur la religion civique : les astronomes comme Anaxagore subissent des procès d'impiété, et la condamnation de Socrate sera en partie due au peu de cas qu'il fait du panthéon traditionnel.

Alexandrie, Pergame, Antioche

Après l'invasion macédonienne, à l'époque hellénistique, c'est *Alexandrie* d'Égypte, fondée bien sûr par Alexandre le Grand au début de ses conquêtes, qui devient au IIIe siècle le nouveau foyer intellectuel du monde grec, élargi à présent aux dimensions de l'*oikoumène,* le monde habité. Le monde grec se déplaçant vers l'est, il est normal que le centre intellectuel se déplace aussi. Mieux : le pouvoir s'étant à la mort d'Alexandre scindé en plusieurs royaumes, on retrouve bientôt plusieurs capitales culturelles qui se font concurrence : Athènes reste prestigieuse pour ses philosophes et ses rhéteurs, mais *Pergame* profite de la raréfaction du papyrus égyptien pour lancer un nouveau support de l'écriture, le parchemin, et ouvre elle aussi sa propre bibliothèque, *Antioche* de Syrie fait de même. Les chercheurs vont d'une capitale à l'autre, drainant à leur suite des jeunes gens aisés avides de suivre les leçons d'un mathématicien, d'un philosophe, d'un poète. Rien d'étonnant si les nouvelles philosophies prônent le cosmopolitisme, comme les cyniques qui se veulent « citoyens du monde ». Alexandrie reste tout de même la plus fascinante de ces capitales, avec sa bibliothèque où l'on rassemble et recopie systématiquement tout ce qui s'écrit en grec autour de la Méditerranée (il y a eu jusqu'à 700 000 rouleaux dans la bibliothèque et son annexe le *Sérapéion*), son musée où les scientifiques peaufinent les sciences mathématiques, géométriques, astronomiques : Ératosthène y calcule la circonférence de la Terre avec une marge d'erreur insignifiante. Ville fascinante car à la croisée de plusieurs cultures, Alexandrie accueille aussi les scribes qui vont traduire en grec une partie des textes sacrés de la *Torah,* donnant ainsi naissance à la Bible grecque dite la *Septante.* C'est dire si cette époque hellénistique, confuse car en perpétuelle mutation, est riche de métissages culturels, d'enrichissements réciproques entre culture occidentale et culture orientale, exauçant sans le vouloir le grand rêve d'Alexandre qui souhaitait ne plus voir qu'un grand monde unique.

Rome

Les Romains, dont la petite cité a grandi au contact des Grecs du sud, font d'elle, à partir du IIe siècle, la nouvelle capitale intellectuelle de la Méditerranée, attirant comme l'ont fait Athènes et Alexandrie les plus grands esprits grecs et romains (c'est ainsi que Polybe, Grec d'origine, écrit à *Rome* son *Histoire universelle*). Sans rupture radicale, la culture grecque se romanise, ou bien les Romains s'hellénisent, et ce nouveau brassage d'idées donne naissance à une nouvelle culture, très inspirée certes de la culture grecque, mais à laquelle les Romains apportent une touche bien spécifique, bien adaptée à leurs valeurs qui ne sont pas tout à fait les mêmes que celles de leurs prédécesseurs. C'est ainsi que la philosophie grecque s'adapte, traduite par des érudits romains (Cicéron par exemple), aux aspirations plus pragmatiques, moins métaphysiques du peuple d'Italie. Les philosophies nées en Grèce comme le stoïcisme, l'épicurisme, se taillent un franc succès au bord du Tibre et évoluent naturellement. La littérature latine s'inspire également de la littérature grecque : Virgile écrit l'épopée du peuple romain (*L'Énéide*), comme Homère a écrit celle du peuple grec. Mais ce n'est pas du plagiat : Horace, Catulle, Sénèque, autant de génies typiquement romains. Cependant ils savent que leur langue ne peut exprimer les mêmes concepts que le grec, et le Romain, paysan et soldat avant tout, ne vibre pas aux mêmes accents que le Grec, qu'il méprise encore parfois comme il méprise tous les Orientaux « mous et efféminés » : complexe d'infériorité face à une culture dominante ? Peut-être, mais on ne peut accuser les Romains de xénophobie : ils ont délibérément adopté la culture d'un autre peuple, dans un réel souci de se « moderniser » avant de trouver leur identité spécifique.

Mais dans la mesure où l'Empire romain allait bientôt dépasser largement en superficie les territoires que les Grecs avaient occupés, les Romains ont été de vrais innovateurs dans un certain nombre de domaines inconnus des Grecs. Ils ont mis en place par exemple toute l'infrastructure concrète d'un empire où l'information devait circuler rapidement : routes sillonnant tout le territoire, pacification des routes maritimes naguère infestées de pirates, systèmes de communication, architecture novatrice, modernisation de l'agriculture, sans oublier la science du droit qui a le mérite de réunir tous les habitants sous une même législation, les intégrant de fait dans la romanité. Ce n'est pas le moindre mérite des Romains d'avoir compris que, tout en assurant à tous une politique commune, un sentiment d'appartenance à une civilisation unique, il fallait préserver les diversités régionales, laisser aux élites indigènes leurs coutumes, leur langue, leurs dieux, leur confier la responsabilité de l'administration locale, une façon d'en faire des « collaborateurs » pleins de zèle. Initiative que l'hellénocentrisme des Grecs leur avait interdite, preuve que les Romains, eux aussi, ont su recevoir un héritage et le perfectionner. Cette intelligence du pouvoir (plus que du gouvernement) est la grande force de

Rome : avant d'être dépassés par l'immensité d'un territoire qu'ils ne pouvaient plus maîtriser, les Romains avaient développé un culte de leur puissance qui n'était guère contesté.

Constantinople

Après la chute de l'Empire romain d'Occident (476, puisqu'il faut bien donner des repères chronologiques, même si ceux-ci sont sujets à caution : faut-il en effet parler de 395, année qui vit le partage de l'Empire romain en deux territoires distincts ? ou de 476, date retenue en général par les médiévistes ?), la culture gréco-romaine est encore scrupuleusement entretenue à *Constantinople,* haut lieu de la civilisation dite « byzantine ». C'est là que les textes seront encore patiemment recopiés, révisés aussi systématiquement afin de fournir des éditions lisibles auxquelles remontent d'ailleurs la plupart des manuscrits que nous possédons. Ce travail est facilité par le parchemin qui remplace définitivement le papyrus et permet de former de vrais livres, des *codices,* bien plus pratiques et solides que les fragiles rouleaux de papyrus qu'il fallait recopier tous les 10 ans. L'Empire byzantin, en majorité chrétien depuis Constantin (312-337), détourne perversement les invasions barbares sur son « frère » d'Occident, ce qui lui permet de survivre jusqu'en 1453, date à laquelle les Ottomans envahissent Constantinople.

En Occident, pendant ce temps, les migrations barbares n'ont pas éteint radicalement la riche activité intellectuelle, surtout au sud de la Loire : les IIIe et IVe siècles voient une résurrection de la littérature païenne, et un joyeux essor de la littérature chrétienne : Ausone, Ammien Marcellin, Macrobe et bien d'autres rivalisent avec les chrétiens Prudence, Ambroise, Tertullien, Jérôme et Augustin. Même les Huns qui, vers 450, ont par leur passage fulgurant rompu complètement l'équilibre déjà fragile de l'Empire moribond, n'ont pas anéanti la littérature gallo-romaine : les Ve et VIe siècles sont encore brillants sur le plan littéraire.

Mais le paysage s'est définitivement modifié : la *Romania* est divisée entre Francs, Wisigoths, Burgondes, Vandales, Ostrogoths et d'autres ; chaque région connaît un destin différent ; et on quitte le monde de l'antiquité classique pour gagner petit à petit le Haut Moyen Âge, grâce à cette période naguère nommée le « Bas-Empire », ou la « Décadence romaine », et qu'on préfère appeler depuis une vingtaine d'années l'« antiquité tardive », expression mieux adaptée à l'atmosphère de renouveau de cette période bien aussi riche que la précédente.

Chapitre III

Organisation politique et sociale du monde gréco-romain

Après ce tour géographique des « grandes capitales culturelles » du monde gréco-romain, il convient d'interrompre le survol historique pour s'attarder un peu sur l'époque même des Anciens. Nous aimerions montrer, en une série d'instantanés, la façon dont ils organisaient leur société, comment ils concevaient leur mode de gouvernement, comment ils priaient leurs dieux, servaient leur pays. Comment ne pas se pencher sur ce dernier thème alors que les Grecs ont inventé le concept de « démocratie », les Romains, celui de « république » ? Bien sûr, la synthèse est une entreprise impossible dans les limites de cet ouvrage, car il s'agit là d'un monde géographiquement très vaste et d'une période très longue, comme nous l'avons vu précédemment. D'où les « instantanés » proposés ci-dessous. Il convient de séparer la Grèce et Rome, qui ont choisi parfois des options différentes, en restant néanmoins conscient que les points de contact entre les deux civilisations sont très nombreux.

La Grèce

Le monde grec est immense depuis l'époque des colonisations. Il présente une grande diversité en fonction du lieu, de l'époque et des sources d'information disponibles. Le monde grec a connu toutes les formes de gouvernement : la royauté, la tyrannie, l'aristocratie, l'oligarchie militaire et ploutocratique, la démocratie. Force nous est de prendre un exemple type, celui qui nous a le plus marqués, celui dans lequel la majorité des pays occidentaux se reconnaissent, à tort souvent d'ailleurs : la *démocratie athénienne,* qui nous est par chance bien connue grâce à une abondance de sources littéraires, épigraphiques et archéologiques.

Les institutions politiques

La démocratie ne s'est pas faite du jour au lendemain ; ce fut un lent processus, un acquis sans cesse remis en question, amendé, modifié. Observons-la à l'époque de Périclès, au moment où elle n'est certes pas achevée (elle mourra avant de l'être), mais relativement fixée, autour des années 450. Quelles sont les grandes caractéristiques des institutions de la démocratie athénienne ? En principe, les Athéniens profitent de l'*isonomia,* c'est-à-dire l'égalité de tous les citoyens, de tout le *dèmos,* devant la loi. Reste à savoir ce qu'est un citoyen. En 450, Périclès en a donné la définition : le citoyen athénien doit être de père et de mère athéniens. Restriction sévère car précédemment, sous Clisthène par exemple, les enfants de mère d'origine étrangère bénéficiaient du droit de cité. Est-ce pour limiter les avantages matériels de la démocratie (distribution de blé par exemple) ? Est-ce pour éviter un retour au pouvoir des aristocrates qui s'alliaient souvent avec de riches familles étrangères ? De toute façon, cette *politeia* n'implique donc pas l'ensemble de la population athénienne, mais les seuls mâles, libres, de parents athéniens. Faut-il imaginer 35 000 citoyens pour 300 000 habitants ? C'est peu, mais plutôt que de railler comme on le fait parfois avec désinvolture un système qui laisse sans voix politique femmes, enfants, esclaves et étrangers, il convient de souligner immédiatement que, à l'intérieur du groupe des citoyens, l'égalité de droit est absolue, qu'on soit riche ou pauvre, « bien né ou misérable ». Et bien loin de connaître notre système représentatif, les Athéniens ont imposé une démocratie *directe,* où le peuple lui-même gouverne et dirige, où les magistrats sont des citoyens tirés au sort, et où ces mêmes magistrats sont responsables de leurs actes, soumis à la reddition des comptes à la fin de leur mandat. Le pouvoir législatif est exercé directement par l'*Ecclésia,* l'« Assemblée du peuple », à laquelle tout citoyen appartient de droit et qui se réunit à peu près 40 fois par an sur la Pnyx pour prendre en votant à main levée toutes les décisions touchant la vie dans la cité, depuis la construction d'un temple ou une augmentation d'impôts jusqu'à la déclaration de guerre. Ses travaux (qui exigent un quorum de 6 000 personnes) sont préparés par la *Boulè,* le « Conseil des Cinq-Cents », dont les membres sont aussi des citoyens tirés au sort, dont la permanence est assurée par 50 « bouleutes » ou « prytanes », en charge pendant un peu plus d'un mois. Les affaires judiciaires sont menées par l'*Aréopage,* ancien conseil aristocratique à qui n'ont guère été laissées que les affaires de meurtres, et surtout l'*Héliée,* tribunal populaire s'il en est puisque les 6 000 membres potentiels sont là aussi tirés au sort et convoqués par groupe de plusieurs centaines de participants selon l'importance du procès. Quant aux magistrats, ils sont en majorité tirés au sort, sauf les hautes magistratures militaires et financières attribuées par élection à des citoyens aux revenus élevés : c'est ainsi que Périclès a été élu et réélu stratège pendant 15 ans, de 443 à 429. S'en remettre au hasard quand il s'agit de conduire une armée eût été certes des plus imprudents, et confier les finances à un homme riche le rendait responsable sur sa fortune personnelle des fonds publics. « Il a plu à la *Boulè* et au *Dèmos...* » : cette formule qui figure en tête des décisions de l'*Ecclésia* montre bien que le peuple était souverain.

De nombreux règlements « accessoires » garantissaient l'autorité du *Dèmos,* nous n'en citerons que deux : le *misthos,* indemnité versée aux citoyens-magistrats pour compenser le manque à gagner d'une journée de travail, une bonne manière de garantir la participation des plus pauvres, et l'*ostracisme,* attribué à Clisthène, permettant de bannir provisoirement un citoyen dont on craignait les ambitions personnelles. Ces mesures méritoires connurent de bons et de mauvais jours : le *misthos* fut parfois considéré comme un médiocre salaire qu'il fallait augmenter, et Aristophane a beau jeu de railler ces *Héliastes* qui ne sont jurés que pour toucher leur pécule ; et l'*ostracisme* fut parfois utilisé comme un moyen pratique de se débarrasser d'un adversaire politique –, c'est ce qui ressort des 10 000 *ostraca* (tessons) découverts à ce jour. Mais il n'est pas question ici de faire le procès de cette démocratie : ses remises en question continuelles montrent bien qu'elle ne se posait pas en modèle parfait et achevé, et par ailleurs, pour se convaincre de sa merveilleuse audace et de sa grande originalité, il n'est qu'à jeter un œil sur le système politique de l'*aristocratie spartiate.* De toutes les cités oligarchiques, Sparte est celle qui a le plus fasciné les théoriciens politiques anciens et modernes. La définition du citoyen l'oppose catégoriquement à Athènes : pour être citoyen, il faut posséder un *kléros,* un lot de terre, alors qu'Athènes ne fait aucune sélection d'ordre économique. Cette terre est cultivée par un peuple d'esclaves, les *Hilotes,* ce qui décharge le Spartiate de toute activité qui le distrairait de son seul souci : l'art militaire et, très accessoirement, l'activité politique. Artisanat et commerce sont confiés aux *Périèques,* des hommes libres mais sans droits politiques. Tous ces citoyens spartiates font partie de l'Assemblée, mais c'est une assemblée sans débat, sans prise de parole libre et égalitaire ; leurs cinq magistrats élus annuellement, les *Éphores,* voient leurs pouvoirs limités par la durée même de leur mandat. Leur conseil, appelé *Gérousia,* est composé de 28 vieillards et de leurs 2 rois. Il est évident que des hommes de plus de 60 ans, à magistrature viagère, ne cherchent guère à innover et à améliorer un système : rien à voir avec les remises en question très stimulantes du système athénien. Enfin les deux rois, maîtres de la religion et de l'armée, sont peut-être en fait les véritables détenteurs du pouvoir, pour peu qu'ils fassent montre de personnalité et sachent tenir l'armée. Cette brève description suffit à montrer l'abîme qui séparait les deux formes de gouvernement des deux cités : comment la guerre pouvait-elle être évitée entre ces deux rivales que tout opposait ?

Les groupes sociaux

D'une façon générale, la société des « classiques » repose, bien plus que la nôtre, sur la notion de groupes nettement séparés, presque antagonistes. La notion de groupe social dans lequel on s'insère dès sa naissance est fondamentale quand il s'agit de comprendre la façon dont les Anciens percevaient leur cité, que ce soit à Athènes ou à Rome. À Athènes, on est grec ou barbare, athénien ou étranger, libre ou esclave, citoyen ou non, jeune ou vieux, homme ou femme. On doit toute sa vie défendre les valeurs de son groupe, à moins qu'il ne faille, dans l'opposition des classes d'âge par exemple, passer d'un groupe à l'autre par l'intermédiaire de rituels très rigoureux : le passage de la jeunesse à l'âge adulte, où l'on devient citoyen à part entière et capable de défendre sa cité, est entouré de rites initiatiques assez redoutables pour bien souligner leur importance. Et même les femmes, pourtant exclues généralement de la citoyenneté et respectées essentiellement en tant que mères de citoyens, connaissent ce passage de la jeunesse à l'âge adulte, ce qui fit dire à J. -P. Vernant : « Le mariage est à la fille ce que la guerre est au garçon : pour tous deux, il marque l'accomplissement de leur nature respective, au sortir d'un état où chacun participe encore de l'autre. » Groupes fermés, bipolarité qui sert de base même à la cohésion sociale, on comprend mieux alors qu'il soit très difficile, en dehors du phénomène naturel des classes d'âge, de passer d'un groupe à l'autre. Plus encore chez les Grecs, jaloux de leur citoyenneté et forts de leur hellénocentrisme, que chez les Romains, qui surent affranchir les esclaves et accorder la citoyenneté romaine au plus grand nombre. Encore que, au bout d'un certain temps, le nombre des esclaves et l'immensité de leur territoire ne leur eussent guère laissé le choix.

La religion

Qu'on soit en Grèce ou à Rome, la religion est bien évidemment polythéiste, plus rituelle que dogmatique, plus civique que personnelle. Les dieux sont partout, interviennent dans la vie des hommes comme au temps d'Homère, quand Zeus ou Athéna prenait parti pour les belligérants, et on essaie par des rites de se les concilier. On participe collectivement au culte des dieux de la cité comme on participe à la vie politique, sans trop se soucier des opinions et des croyances de l'individu. L'essentiel est de faire corps autour des mêmes divinités, de se sentir unis par des rituels communs. Cette exigence de cohésion est évidemment déterminante pour la démocratie athénienne où tous les citoyens doivent être au service de la *polis,* sans individualisme trop affirmé, ce qui explique l'extrême rigueur du gouvernement chaque fois qu'un individu semble ne plus « vénérer les dieux de la cité » (procès d'Anaxagore, de Protagoras, de Socrate). Cette religion civique, collective, sans clergé spécifique puisque le prêtre est un magistrat comme les autres, tiré au sort parmi les citoyens, explique que le sacré s'immisce dans toutes les activités de la cité : à Athènes, le théâtre commence par des sacrifices à Dionysos ; à Olympie, les jeux sont célébrés en l'honneur de Zeus, les distributions de viande se font par l'intermédiaire de sacrifices aux dieux, prétextes à banquets publics qui rassemblent tous les citoyens. Plus qu'une religion au sens moderne du terme, la religion grecque est un rouage de la politique, elle fournit l'occasion de rassembler l'ensemble des citoyens (grandes cérémonies comme les Panathénées), de provoquer des débats d'idées (les Dionysies et le théâtre), de stimuler l'excellence (les jeux sportifs). Et même les oracles et les cultes marginaux comme les rituels bacchiques, les cultes à Mystères sont aisément récupérés par la collectivité, comme peuvent l'être nos carnavals...

L'économie

En l'absence de statistiques anciennes, de témoignages et de chiffres sciemment laissés et fiables, il est très difficile de connaître matériellement la vie économique des Anciens. Contentons-nous d'isoler quelques traits spécifiques. L'activité économique n'est pas des plus valorisées chez les Grecs. Même si l'on a pu parler de thalassocratie, de commerce maritime lié aux nombreuses colonies dispersées dans toute la Méditerranée, des marchés où se vendent vin et huile, céramique et autres produits de l'artisanat si recherché partout dans l'*oikoumène,* de la monnaie athénienne si puissante et du développement des banques (les banquiers inaugurent l'ère des grands échanges au ve siècle), l'économie grecque reste celle d'un peuple d'agriculteurs et de pasteurs, à qui la terre ingrate de la Grèce (80 % de montagnes et une eau capricieuse qui ravine le sol) ne garantit que de faibles rendements. Ils aspirent à vivre en autarcie du produit de leur terre, mais ils vivent depuis les temps archaïques avec le spectre de la disette (voir Hésiode, *Les Travaux et les Jours*). La frappe de la monnaie est révélatrice de leur vision de l'économie : excepté les grandes cités marchandes comme Corinthe, Égine ou Milet qui ont frappé monnaie très tôt, les autres ont attendu l'époque classique, souvent même l'époque hellénistique pour passer du troc à l'échange de monnaie. Mieux : l'Égypte du IIIe siècle continue d'ignorer superbement son usage, payant son dû en nature (en blé le plus souvent), et réservant sa monnaie, magnifique par ailleurs, à la solde des mercenaires étrangers. Ce troc qui perdure prouve bien que l'on se contente le plus souvent d'échanger l'excédent contre le ravitaillement nécessaire, de compenser les manques en une « économie de la demande » sans songer à faire de gros profits. « À mesure qu'on vend, on achète », tel est le principe de l'économie tel qu'Aristote le définit. Et maintenir l'état de sa fortune est déjà un but des plus honorables : l'augmenter est un luxe bienvenu mais inespéré. C'est ce qui explique d'ailleurs que l'activité commerciale ne soit pas très respectée : elle est souvent l'apanage des étrangers, alors que le citoyen cultive la terre, activité bien plus noble, et la littérature ne manque pas de jugements très dévalorisants sur les peuples traditionnellement commerçants, comme les Phéniciens, chez qui commerce et piratage vont souvent de pair. Vivre sagement des revenus de sa terre est donc l'activité la plus noble, et bon nombre de cités ne comptent parmi leurs citoyens que les agriculteurs libres, le reste du travail étant confié aux non-citoyens, étrangers et esclaves : Athènes est l'une des rares cités à donner aux artisans et aux agriculteurs les mêmes droits politiques.

On connaît la triade méditerranéenne, blé, vigne et olive, dont les deux sociétés grecque et romaine feront le symbole de leur identité ; les éphèbes qui prêtent serment au sanctuaire de Pan Agraulos invoquent, dit Plutarque, leur patrie « où poussent le blé, la vigne et l'olivier » (*Vie d'Alcibiade*, 15) ; et dans une des *Métamorphoses* d'Ovide, Anius, roi et prêtre de Délos, parle de ses filles qui ont le pouvoir, en les touchant, de « transformer toutes choses en blé, ou en vin pur ou en olives » (XIII, 652-4). Cette triade opposa longtemps une civilisation méditerranéenne agricole et arboricole, volontiers végétarienne, à la barbarie celte mangeuse de viande, de lait, et éleveuse de porcs dans l'obscurité des bois. Mais ce tableau un peu austère d'une économie tripartite et étriquée ne doit pas laisser penser que l'économie antique stagne et se méfie de toute innovation : on ne recule pas devant les productions ou les techniques nouvelles, mais le progrès n'est pas constant ni uniforme, à l'image même du revenu des Grecs qui varie de 1 à 100 entre le petit propriétaire athénien, fort de ses 3 ou 4 talents, et le riche exploitant d'Asie Mineure (des centaines de talents). Le commerce maritime garde sa prééminence pendant toute l'histoire grecque, limité cependant par les saisons de tempêtes et le piratage quasi permanent, et il faudra le génie romain pour tracer dans tout son empire un réseau routier capable d'élever le commerce terrestre au même niveau.

La vie militaire

On ne saurait parler de la société grecque sans parler de la vie militaire, passage obligé dans la vie du citoyen. Sans accorder autant d'importance à l'armée que les Spartiates, les Athéniens considèrent que défendre le territoire est un devoir du citoyen, comme le devoir politique ou religieux ; c'est pourquoi l'armée fait partie des rites d'initiation que doit affronter le jeune homme qui s'insère dans le groupe des adultes. Que ce soit à l'issue de l'*éphébie* athénienne ou de la *cryptie* spartiate, le jeune homme devient citoyen en devenant soldat. L'armée est même à Athènes un lieu comme un autre d'application de la démocratie, et la phalange (la ligne de bataille des fantassins) et la marine en sont les plus beaux symboles : les hoplites (citoyens assez aisés pour s'offrir une panoplie) et les marins (les plus pauvres des citoyens, ne pouvant offrir que leurs bras) sont unis les uns aux autres, sans possibilité d'initiative ou d'héroïsme individuel. Interchangeables, rivés à la ligne de combat ou au rang de rameurs, les soldats sont strictement égaux dans la bataille comme ils le sont à l'Assemblée du peuple. Pour séduisante qu'elle soit en théorie, cette organisation a ses limites : ce caractère figé de l'armée grecque l'affaiblira devant l'envahisseur macédonien qui aura su diversifier ses troupes, améliorer sa cavalerie et son armement (la célèbre longue pique, la *sarisse*), et surtout face aux armées romaines, passées maîtresses dans l'art de s'adapter à toutes les situations de combat. Il faut dire que les Grecs n'ont pas de doctrine d'expansion territoriale : d'une façon générale, ils s'installent sur les côtes, ne s'aventurent guère à l'intérieur des terres, n'ont donc pas besoin de rassembler une armée aussi forte que le sera l'armée romaine, soucieuse de conquérir du territoire à cultiver. Leurs troupes servent essentiellement aux guerres intercités, aucune commune mesure avec les armées romaines vouées à guerroyer contre les Gaulois, les Samnites, les Carthaginois, les Germains et autres barbares. Ces armées de citoyens sont renforcées à l'époque hellénistique par des contingents de mercenaires, devenus nécessaires tant la guerre s'est installée entre le IIIe et le Ier siècle avant J.-C. d'une façon quasi permanente sur toutes les rives de la Méditerranée. Ce que les cités ne peuvent guère s'offrir (les mercenaires coûtent cher), les rois hellénistiques en feront grand usage, au point que les armées de leurs royaumes peuvent être considérées comme des armées de professionnels grassement payés et non plus de citoyens. Armées bigarrées (sujets locaux, auxquels s'ajoutent des contingents spécialisés, archers crétois, phalange macédonienne, etc., chacun gardant son vêtement et son équipement d'origine), elles excellent sur terre comme sur mer : le navire de guerre « classique », la trière, se voit un moment renforcé par de gigantesques navires puissamment équipés de machines de tir, jusqu'au moment où le nombre des pirates en Méditerranée contraint les royaumes à revenir à des embarcations légères et rapides, elles-mêmes calquées sur les bateaux pirates. Là encore, les royaumes hellénistiques sont donc de grands innovateurs par rapport au monde des cités classiques. Leur horizon singulièrement élargi leur a permis de sortir des cadres limités de la cité, et les Romains s'en souviendront.

L'urbanisme

Toute cette population est donc organisée en *polis,* en cité. Reste à savoir comment est conçue cette cité, quelle est l'importance de l'urbanisme dans la vie de tous les jours. Le touriste qui visite Athènes aujourd'hui a devant les yeux les magnifiques restes des temples de l'*Acropole* et les bases des bâtiments de l'*Agora,* la place publique de la cité classique. Et il est vrai que ces deux sites, les temples de la ville haute et l'Agora au pied de la colline, étaient les deux centres nerveux de la cité. Le reste – maisons particulières, boutiques, tavernes – était construit librement, sans grand souci d'architecture, d'esthétique ni de solidité. D'ailleurs le citoyen vivait dehors, passant le plus clair de son temps au cœur de la cité, attiré chaque jour par l'animation de l'Agora qui centralisait toute l'activité politique, commerciale et culturelle de la capitale. En effet, les bâtiments administratifs y étaient tous concentrés : *bouleutérion* (salle du Conseil), tribunaux, prison, tribune où étaient affichées les décisions de l'Assemblée du peuple. Si l'Assemblée elle-même se tenait ailleurs, sur la colline de la Pnyx, c'était simplement pour y être plus à l'aise, car 6 000 personnes et plus se seraient trouvées un peu à l'étroit sur la place. Par ailleurs, c'était également sur l'Agora que tous les petits marchands, les *capèloi,* proposaient leurs marchandises, et c'était là aussi que les philosophes et sophistes discouraient avec leurs disciples, avant même que des portiques ne viennent avec leurs galeries ombragées rendre la promenade encore plus agréable. Lieu grouillant de vie, espace des hommes, l'Agora reposait au pied des dieux, puisque l'Acropole, elle, était tout entière vouée aux divinités protectrices de la cité, avec au premier rang Athéna, vénérée sous ses multiples formes dans ses différents sanctuaires. De l'orgueilleux Parthénon, incarnation de la démocratie impérialiste, au sacro-saint Erechthéion, en passant par le merveilleux petit temple d'Athéna Nikè, toute la colline était sacrée, ainsi que toutes les statues et les offrandes qui s'y trouvaient consacrées : c'est pour cette raison que les jolies statues archaïques de *korai,* qui font la fierté du Musée de l'Acropole et du Musée archéologique, ont toutes été enfouies, pour le plus grand bonheur des archéologues, dans la tranchée d'une *favissa* après que les Perses eurent profané la colline sainte. Espace des hommes et espace des dieux, on retrouve dans l'urbanisme la bipolarité chère aux Grecs. D'aucuns diront que nous oublions un des fleurons de l'architecture grecque, le théâtre, monument obligé de la *polis* et centre à la fois politique et religieux. Certes, mais il ne faut pas oublier que les théâtres en pierre sont apparus très tard : on se contentait en général d'un édifice en bois. Théâtres en pierre, fontaines, gymnases, thermes, portiques et basiliques sont des monuments typiquement hellénistiques, imposés par des exigences de luxe et de confort, nés aussi d'une personnalisation du pouvoir inconnue du citoyen de la démocratique Athènes. Même remarque concernant les belles maisons à péristyle, avec jardin d'agrément : elles apparaissent tardivement ; en Orient et dans la mer Égée (Délos), la maison classique est beaucoup plus modeste. L'essentiel de l'urbanisme reflète donc les préoccupations du citoyen athénien : politique et religion, toujours intimement liées, méritent des constructions solides et voyantes. Espace du politique, espace du religieux, le reste est superflu...

Rome

Le monde romain est un monde plus homogène : il est d'ailleurs significatif que l'on puisse parler de Rome pour traiter du monde romain en général, alors que le monde grec est beaucoup plus éclaté, à cause de toutes les disparités entre cités, les conflits permanents opposant les Grecs entre eux. En fait, Rome a pu imposer son modèle au fur et à mesure de ses conquêtes, ce qui n'exclut pas bien sûr toutes les nuances qui s'imposent, puisqu'elle a intelligemment ménagé les élites locales, les identités régionales, les langues et les cultes des pays conquis, pour autant évidemment qu'ils ne missent pas en danger la cohésion de l'Empire. À ces spécificités régionales complaisamment et habilement entretenues qui résistent à l'assimilation complète s'ajoutent les cas de révoltes : Juifs, Africains, chrétiens, autant de groupes ethniques ou religieux qui ont refusé l'acculturation et pour qui le modèle romain était à rejeter. Mais, d'une façon générale, l'organisation romaine a su se répercuter très longtemps un peu partout, la cité créant des antennes administratives reproduisant sur tout le territoire la structure politique et sociale typiquement romaine, modèle de puissance devenu mondial. Par beaucoup d'aspects, la vie sociale ressemble à la vie grecque, et pour cause : Rome a grandi au contact des villes grecques du sud, et c'est à juste titre qu'on a pu dire que « la Grèce vaincue a conquis son farouche vainqueur » (Horace, *Ép.*, II, 1, 156). Malgré les réticences des conservateurs qui voyaient dans l'hellénisation de Rome un danger pour les valeurs ancestrales (austérité, idéal du soldat-laboureur frugal et dur à la peine), les Romains ont vite emprunté aux Grecs leur façon de vivre, de s'habiller, de prier, de construire leurs temples, leurs maisons. Même le vieux Caton, si hostile à cette mode grecque qui « ramollissait » la jeunesse et donnait aux hommes et aux femmes un funeste goût du luxe, même lui consentit à apprendre le grec, conscient que le monde était en marche et qu'il ne pouvait rester tout seul à la remorque de l'histoire. Il utilisait même des techniques de rhétorique grecque pour fustiger l'hellénisme, preuve que cette « modernité » était inévitable, même si cela ne l'enchantait pas. Bien après la conquête romaine, le monde grec conserve sa langue et continue à influencer profondément son vainqueur dans tous les domaines. Que font les Gaulois devenus Romains, sinon s'helléniser en latin ? Aussi peut-on dire avec P. Veyne : « À Rome, la civilisation, la culture, la littérature, l'art et la religion elle-même sont à peu près entièrement venus des Grecs, au long d'un demi-millénaire d'acculturation[4]... » Cette communauté de civilisation explique que nous insisterons surtout sur les différences, car différences il y a bien sûr, liées à la fois au temps qui passe et aux mentalités propres au peuple romain.

Les institutions politiques

Dès que l'on observe la *vie politique* et le haut appareil de l'État (qu'on soit sous la République ou sous l'Empire), on constate que les Romains sont restés largement étrangers à l'hellénisme : les institutions politiques sont radicalement différentes de celles qu'on a pu observer à Athènes ou à Sparte. Cette différence n'empêche pas les influences : on a souligné déjà la

---

4. Ph. Ariès et G. Duby (dir.), *Histoire de la vie privée*, Paris, Seuil, 1985, p. 14.

conjonction troublante des dates, montrant que les Romains ont chassé leurs rois au moment même où les Grecs secouaient le joug des tyrannies (vers 509) ; on peut ajouter les ressemblances entre les royautés hellénistiques, volontiers théocratiques, et le statut de l'empereur romain ; et la volonté des généraux romains de ressembler au Grec Alexandre le Grand (fascination de Pompée qui se fit appeler Pompée le Grand, de César ou Antoine unis comme lui à une Orientale, etc.). Mais la vie politique repose néanmoins sur une tout autre conception de l'État qu'il faut à présent éclairer.

La *République,* nous l'avons vu, a commencé sous le signe d'une forte opposition entre patriciens et plébéiens ; au IIIe siècle, les deux groupes sont enfin à égalité ; les institutions politiques romaines, à peu près fixées en une « constitution composite » (expression de l'historien grec Polybe) qui repose sur l'équilibre des forces entre le Sénat, les quatre assemblées populaires et les magistrats. Les riches familles patriciennes et plébéiennes sont réunies dans la *nobilitas* qui s'arroge la mainmise sur les hautes magistratures. Les quatre assemblées populaires se partagent ainsi les rôles : les *comices curiates,* peu importants, se contentent d'assurer l'*imperium* aux plus hauts magistrats et valident les testaments ; les *comices centuriates* répartissent le peuple selon la fortune de chacun et, parmi les 193 centuries ainsi formées, les 98 qui correspondent aux citoyens les plus riches peuvent emporter la majorité aux scrutins. Or, ces comices ont un grand pouvoir dans la mesure où, contrôlés par un haut magistrat, ils distribuent précisément les plus hautes magistratures du *cursus honorum* (consuls, préteurs, censeurs), traitent avec le Sénat des questions de guerre ou de paix et jugent les crimes passibles de la peine capitale. Les *comices tributes* recensent les citoyens selon leur domicile, élisent les magistrats inférieurs, légifèrent et jugent les crimes passibles d'amendes. Quant au *conseil de la plèbe,* il désigne les magistrats de la plèbe et vote les plébiscites. Dans la mesure où les magistrats supérieurs siègent automatiquement au Sénat au sortir de leur charge, avec une autorité qui leur permet de contrôler finances, politique étrangère, pouvoir judiciaire et d'imposer leurs décisions à coups de *sénatus-consultes,* on remarquera que, malgré les apparences démocratiques (ce sont les comices populaires qui valident les lois ; plébiscite et *lex* ont normalement la même valeur légale, etc.), le pouvoir effectif est tout entier concentré dans les mains de cette *nobilitas* constituée d'une minorité de familles riches. Au IIe siècle, la crise sociale divisera justement ces *Optimates,* garants de la tradition républicaine, farouches partisans d'un Sénat fort et du maintien des privilèges, et les *Populares* qui veulent un pouvoir mieux réparti, avec des lois agraires, des distributions de blé plus équitables : c'est bien la preuve que cette république est une république des riches. Malgré l'action de *Populares* comme les Gracques qui payent leur audace de leur vie (réformes agraires avortées de Tibérius puis de Caius en 133 et 123), les riches maintiennent leurs positions, et seule l'ambition du pouvoir personnel viendra perturber à la fin de la République cette belle organisation oligarchique, avec l'intervention musclée des *Imperatores,* ces généraux qui provoqueront grâce à leurs armées la chute de la République et conduiront tout droit au *principat* et à l'*Empire.*

À l'extérieur, il est évident que l'expansion territoriale de Rome demande une gestion serrée des conquêtes : c'est le travail de commissions qui dessinent petit à petit une carte géographique divisée en provinces, tout d'abord la province d'Afrique (146 avant J.-C.), celle d'Asie, puis 8 autres, pour aboutir au Ier siècle avant J.-C. à 10 provinces gouvernées par des promagistrats romains. Ces magistrats supérieurs ont pendant un an l'*imperium* qui leur donne tout pouvoir militaire et judiciaire sur la population, romaine ou autochtone, de leur province. Leur pouvoir judiciaire prouve que Rome introduit alors dans les pays conquis les principes du droit romain, intégrant les habitants dans le cadre juridique de la cité dominante, et donc dans sa civilisation. Ils sont aidés par les questeurs qui s'occupent des finances, et par toute une administration, le *consilium*, formée de scribes, de licteurs, d'appariteurs, de publicains qui prélèvent les impôts, etc. Le gouverneur envoie régulièrement ses rapports au Sénat et, à l'issue de son année de magistrature, revient à Rome et est tenu de rendre des comptes sur la gestion de sa province. On connaît les abus de certains, dont Verrès, gouverneur de Sicile, poursuivi par Cicéron dans des discours célèbres ; les provinciaux eux-mêmes pouvaient poursuivre leur gouverneur s'ils se jugeaient lésés. Reste que beaucoup s'acquittaient honnêtement de leur tâche, et l'État lui-même n'avait pas intérêt, même sous l'Empire, à ce que les provinces soient mal gérées : la *Pax Romana* était à ce prix. On connaît la phrase de l'empereur Tibère voulant que les provinces soient « tondues et non écorchées ». On peut remarquer aussi que le niveau de vie de toutes ces provinces était à peu près partout le même. Non qu'il n'y ait provinces riches et provinces pauvres : on ne vit pas dans les provinces de Gaule comme en Asie Mineure. Mais les différences sont moindres que celles que l'on constate aujourd'hui. Le tiers monde n'existait pas alors, ce qui évitait certaines sortes de conflits.

Cette belle organisation connaît bien sûr des variations en fonction des empereurs, des nouvelles conquêtes ou au contraire des reculs de l'Empire. L'Italie elle-même gardera toujours son statut privilégié, son *ius italicum* l'exemptant de tribut. Elle n'en connaît pas moins un partage en régions et une solide administration, depuis les grandes préfectures équestres jusqu'aux magistrats de quartier. Les autres provinces sont soit des provinces administrées par le Sénat (l'Asie et l'Afrique, par exemple), qui continuent à être dirigées par un gouverneur nommé pour un an, soit des provinces impériales, bien plus nombreuses, dont le gouverneur, légat impérial, reste aussi longtemps que l'empereur, son supérieur direct, le lui demande. L'Égypte est traditionnellement gouvernée par un préfet équestre, et quelques menues provinces se contentent d'un gouverneur équestre, le procurateur. À ces provinces romaines s'ajoutent des États alliés, clients et amis, que les dynastes indigènes continuent de diriger en attendant que la région, pacifiée et « civilisée », puisse être annexée sans problème par Rome. Le plus souvent, les empereurs attendent sagement que le dynaste meure, et s'ils ne disposent pas du personnel nécessaire pour gérer l'annexion, ils préfèrent lui trouver un héritier, en attendant des jours meilleurs.

Cette souplesse mise en place par Auguste valut à l'Empire trois bons siècles de stabilité en Méditerranée.

Les classes sociales

La société romaine repose, comme en Grèce, sur des oppositions entre groupes sociaux nettement valorisés (patriciens, *optimates,* riches, libres, etc.) et les autres, vus en négatif (plébéiens, *humiliores,* pauvres, esclaves, etc.). Il semble cependant que la société romaine soit plus ouverte et plus souple que la société grecque : patriciens et plébéiens ont su assez tôt se rejoindre pour former, ensemble, la *nobilitas.* D'autre part, les guerres sociales des années 90 ont permis aux alliés d'Italie d'obtenir la citoyenneté romaine et tous ses avantages, premier pas vers un élargissement radical du corps civique qui verra l'empereur Caracalla accorder en 212 la citoyenneté à tous les habitants libres de l'Empire. Il n'y a donc aucune commune mesure entre une cité comme Athènes, qui n'a jamais dû dépasser les 40 000 citoyens, et l'Empire romain qui dut en compter plusieurs millions sous Auguste. De la même façon, les Romains affranchissent leurs esclaves et en font de nouveaux citoyens, contrairement aux Grecs qui n'accordaient qu'avec beaucoup de parcimonie le partage de leurs privilèges ; mais on objectera que ces affranchissements répondaient moins à une générosité qu'à une nécessité : le nombre pléthorique d'esclaves et la possibilité de se créer ainsi une *clientèle* comptaient pour beaucoup dans ce phénomène. Et même ces différences, si elles existent, sont moins importantes qu'elles ne paraissent, car la citoyenneté ne correspond pas au même statut en Grèce et à Rome : la citoyenneté donne à Athènes tous les droits politiques, alors qu'à Rome elle ne donne guère que des droits civils. La politique reste l'apanage des gens riches ; être *civis romanus* est le plus souvent une promotion dont on est certes fier, mais qui ne tire pas à conséquence. Mieux : la citoyenneté romaine donne au barbare (souvent riche) romanisé des droits mais aussi des devoirs qui en font un *client* de l'*Urbs*. Ce qui n'enlève en rien la lucidité de Rome, qui a bien compris que la *Pax Romana* est à ce prix, que cette promotion accordée aux barbares ne peut que la servir, un barbare acquis à la cause de Rome étant son meilleur bouclier.

L'armée

À propos de bouclier, voyons en quoi l'armée romaine se différenciait des précédentes, armée de citoyens en Grèce classique et armée de mercenaires à l'époque hellénistique. Au début, l'armée romaine ressemblait à l'armée athénienne : c'était une *armée de citoyens* faisant appel à tous les Romains de 17 à 60 ans, qui étaient recrutés en fonction de leur fortune dans divers corps de troupes, répartis selon l'expédition prévue dans les différentes légions. Si l'armée romaine fut immédiatement très forte, c'est d'abord à cause du vieil idéal si présent dans la littérature et sans doute aussi dans les esprits : celui du soldat-laboureur, l'idéal du sage Cincinnatus délaissant sa charrue pour défendre sa patrie et revenant ensuite modestement cultiver son champ. Il faut souligner aussi la grande faculté d'adaptation des Romains qui surent toujours évoluer, améliorer leur équipement, quitte à emprunter celui des autres. Leurs premières conquêtes furent révélatrices à cet égard : bouclier, épée courte des Gaulois, des Samnites, sans parler des bateaux carthaginois qu'ils copièrent sans vergogne. Quand une idée réussit, il faut l'exploiter : en cela les Romains étaient très différents des Grecs, accrochés à leur phalange envers et contre tous. Lorsque les alliés italiens eurent signé avec Rome des traités d'alliance, les possibilités de levée de troupes (le *dilectus*) furent décuplées, et l'armée resta longtemps l'affaire des seuls Romains et alliés. Puis les conquêtes prirent de l'ampleur, les fronts se multiplièrent, les quatre légions traditionnelles furent bientôt submergées : il fallut élargir la levée, engager même des esclaves pendant la deuxième guerre punique pour arrêter Hannibal, passer de 4 à 13 légions, allonger la durée du service, jusqu'à 18 ans à certaines époques, ce qui transformait le citoyen-soldat en professionnel ; durée lourde de conséquences pour le travail du petit paysan ou de l'artisan resté si longtemps loin de chez lui. Les difficultés de recrutement devinrent telles que Marius, un des premiers *Imperatores,* décida en 107 de faire appel à des volontaires, ce qui transforma petit à petit l'armée de citoyens en armée de mercenaires, rejoignant là l'armée des royaumes hellénistiques. Ces professionnels étaient d'ailleurs particulièrement choyés par leurs généraux qui savaient pouvoir s'appuyer sur eux en cas de problème politique : leurs clientèles militaires soutinrent les ambitions des dictateurs, de Sylla à César, qui profitèrent tous de leur gloire militaire pour prendre le pouvoir à la tête de leurs soldats. Comme il fallait bien les récompenser, on installa les vétérans dans des colonies, et bon nombre de fondations romaines, dans l'ensemble de la Méditerranée, répondaient à cette volonté d'établir les légionnaires à la fin de leur service.

Cette armée, devenue une *armée de métier,* fera la force du pouvoir impérial. C'est Auguste, là encore, qui réorganise l'armée et divise les troupes en légions, en troupes auxiliaires et en corps d'élite qui sont stationnés à Rome pour protéger l'*Urbs* et l'empereur : ce sont les fameuses cohortes prétoriennes, les cohortes urbaines et les vigiles, auxquels s'ajoute la garde personnelle de l'empereur. Les régions pacifiées se contentent de troupes auxiliaires, tandis que les zones névralgiques nécessitent parfois plusieurs légions, telles les régions du Rhin et du Danube truffées de barbares prêts à s'infiltrer à l'intérieur du *limes*. Pendant l'Empire, dès le Ier siècle, mais surtout au IIIe, lorsque les frontières commencent à craquer de toutes parts, il faut encore renforcer l'armée, enrôler des barbares sympathisants, ce qui métisse dangereusement les troupes et crée des problèmes inattendus : problèmes de discipline (l'idéal du citoyen-soldat-laboureur est loin), d'anarchie (le soldat obéit plus volontiers au général qui lui fournit du butin qu'à un empereur inconnu), et problèmes d'argent (il faut sans cesse augmenter leur solde, d'où une population exsangue, accablée d'impôts). Même si les causes de la « chute » de l'Empire sont multiples, les problèmes de l'armée en font partie : l'Empire était devenu trop grand, les légionnaires allaient d'un front à un autre sans trop savoir pourquoi ils se battaient, sans compter qu'un barbare enrôlé était peu motivé pour se battre contre des frères, autant de difficultés qui contribuèrent aux défaillances du système qui connut néanmoins une belle période de gloire pendant tout le Haut-Empire.

La religion

On sait que la religion romaine primitive doit beaucoup aux Grecs et aux Étrusques ; mais par-delà l'hellénisation de Rome qui avait pratiquement fusionné les panthéons grec et romain, certaines divinités grecques et étrangères étaient devenues depuis longtemps des divinités universelles, vénérées un peu partout en Méditerranée : Déméter, Asclépios, Isis, Cybèle, divinités secourables et sources d'espérance, donc plus populaires que les dieux traditionnels qui n'avaient pas toujours répondu aux appels pressants des sacrifices, étaient adorés partout. Le culte d'Apollon était savamment entretenu à Rome par un collège sacerdotal, chargé aussi des *Livres sibyllins,* tandis que le sanctuaire de Delphes continuait à être interrogé scrupuleusement, pendant les guerres puniques par exemple. Les Romains se sont faits les champions du *syncrétisme religieux,* toujours prêts à intégrer à leur panthéon les dieux étrangers (Isis, Dionysos, Mithra) au fur et à mesure des conquêtes, des contacts commerciaux et, parfois, des modes. Rares étaient les répressions, et il fallait bien des excès pour que le pouvoir décidât de limiter les cultes qui risquaient de déstabiliser la société romaine et de corrompre la jeunesse : ainsi les Bacchanales de 186 qui poussèrent le Sénat à restreindre la pratique du culte dionysiaque, dont les pratiques jugées scandaleuses avaient provoqué dénonciations outrées et inquiétude. On construisit aussi un haut mur autour du sanctuaire de Cybèle pour que le peuple ne fût pas heurté par les aspects choquants d'un culte qui exigeait des sacrifices sanglants avec aspersion des fidèles, mais on ne l'interdisait pas pour autant, et des jeux spéciaux, les jeux « Mégalésiens », lui étaient même consacrés. Dans une religion si éclectique, c'est donc assez naturellement que s'ajoutera aux innombrables divinités romaines le nouveau dieu qui garantira sous l'Empire le pouvoir suprême : l'empereur lui-même, dont le culte se répandit comme une traînée de poudre dans toutes les provinces de la Méditerranée dès Auguste, fils du « Divin Jules », puisque le Sénat avait accordé à César le titre de *Divus* et l'apothéose. Ce nouveau culte, le culte impérial, n'eut aucun mal à s'imposer en Orient puisque les rois hellénistiques avaient déjà adopté la tradition pharaonique ou perse du roi fils de dieu, ou représentant direct de la divinité : Alexandre se voulait fils de Dionysos-Amon, et son successeur en Égypte, Ptolémée, avait inauguré le culte royal pour toute sa famille. Quant à l'Occident, il n'ignorait pas ce phénomène : le culte du chef était vivace en Espagne, par exemple. Culte du chef ou culte de l'empereur, il n'y avait là qu'un degré à franchir. En Orient comme en Occident, le sanctuaire du culte impérial voyait la célébration de l'anniversaire de l'empereur, *flamine* en tête, avec sacrifices, hymnes, concours poétiques et sportifs, banquets, exactement comme s'il s'agissait d'une divinité traditionnelle. Célébration religieuse et preuve de loyalisme politique, ce culte impérial ne heurtait personne, sauf les adeptes du monothéisme, bien sûr, et ce furent les religions juive et chrétienne qui s'y opposèrent et provoquèrent les sanglantes répressions religieuses de la fin de la République et de l'Empire.

Les *Juifs* de Palestine se révoltaient sans cesse sous la République contre l'occupation romaine (voir les « brigands » dont parle Flavius Josèphe qui, depuis la conquête de Jérusalem par Pompée en 63, ne cessaient d'appeler à l'anéantissement des « impies »), mais, sous l'Empire, les provocations romaines aggravèrent la situation : le trésor du Temple fut profané, Caligula voulut y ériger sa statue en vertu du culte impérial. La résistance, née initialement de conflits sociaux, devenait de plus en plus lourde d'implications nationalistes et religieuses. C'est donc à une véritable guerre que se livrèrent les Juifs, malgré leurs dissensions internes. Mais les Romains étaient militairement imbattables : ils reprirent Jérusalem en 70, et la résistance de Massada, jusqu'en 74, fut plus symbolique et désespérée que militairement efficace.

Quant aux *chrétiens*, le phénomène fut un peu le même au départ : les Romains, dans leur sincère tolérance religieuse, étaient prêts à adopter ce nouveau dieu nommé Jésus, tout au moins ne refusaient-ils aucunement la diffusion de cette nouvelle doctrine, assez lente du reste à se propager. Encore fallait-il que les chrétiens acceptassent que leur dieu fût ajouté aux autres divinités du panthéon romain, depuis Jupiter jusqu'à l'empereur, dieu parmi les dieux. Or, les premiers chrétiens se montraient intraitables : leur dieu était le seul, pas question d'adorer les faux dieux, de se prosterner devant l'empereur, d'entrer dans le jeu des rites « païens ». Ajoutons le refus des chrétiens de tout ce qui assurait la cohésion sociale dans la vie romaine : ils rejetaient les jeux du cirque et autres spectacles, les richesses matérielles, dédaignaient les magistratures, encourageaient même à la désertion militaire, et fustigeaient la « grande prostituée », la cité du Mal si contraire à leur morale exigeante : « Rien ne nous est plus étranger que l'intérêt public », clamera assez maladroitement Tertullien, converti carthaginois du IIIe siècle. Comment dans ces conditions ne pas les juger dangereux et responsables de tout ce qui allait mal dans l'Empire : l'État eut beau jeu de détourner sur les chrétiens le mécontentement populaire, et les répressions (Smyrne en 150, Lyon en 177, Rome sous Commode) coïncidèrent souvent avec les crises sociales et les difficultés économiques, chacun accusant les chrétiens de se désolidariser des problèmes de l'Empire. Aggravation générale au IIIe siècle, d'où persécutions encore plus vives sous Dèce, Gallien, Valérien, soucieux de rétablir les cultes ancestraux, garants de la cohésion sociale. Mais on voit bien par ces deux exemples qu'il s'agissait de conflits plus politiques qu'intrinsèquement religieux.

L'économie

Que dire de l'économie romaine ? Il est évident que l'expansion territoriale de Rome, la pacification de la Méditerranée (Pompée enraya la piraterie devenue endémique à l'époque hellénistique) et le développement du réseau routier changèrent substantiellement les données de l'économie. Les Grecs connaissaient déjà des associations commerciales et financières, et à l'époque hellénistique l'île de Rhodes, stratégiquement bien placée et forte de son port et de sa flotte, était devenue un centre d'échanges important, avec des regroupements de marchands et de banquiers. Les Romains gardèrent ce système en le développant, et il fallait compter désormais avec les *negotiatores* italiens, les sociétés de marchands et de *publicains* (percepteurs d'impôts), les collèges d'artisans partout dans le monde grec et en Asie Mineure. Rome devint vite le principal client de la Méditerranée entière : l'hellénisation des milieux aisés romains leur avait donné le goût du luxe et des produits orientaux, et ses besoins en blé, en vin, en huile, toujours plus importants, en firent bien vite le premier importateur de Sicile, d'Espagne, de Gaule et même d'Afrique et d'Égypte pour le blé, des îles grecques pour le vin, malgré le développement rapide de grands crus en Italie même, comme le Falerne ou le Cécube, et, bientôt, d'autres crus en Gaule, en Espagne et en Afrique du Nord. De nouveaux besoins firent naître de nouvelles « industries », comme les fabriques de *garum* (le *nuoc man* antique, indispensable à la cuisine romaine) en Orient et en Espagne, puis en Maurétanie Tingitane. L'autarcie grecque n'était donc plus de mise, et l'*oikoumène* entière était sollicitée pour fournir à Rome ce dont elle avait besoin. L'alimentation n'était pas seule en cause : l'Italie ne suffisait plus à fournir en minerais l'artisanat romain. L'Espagne, depuis longtemps exploitée par les Phéniciens, les Grecs et les Carthaginois (depuis les grandes colonisations de l'époque archaïque), continuait à fournir l'or, l'argent, le plomb, le mercure, toujours par l'intermédiaire de « sociétés » spécialisées.

L'Empire, avec l'organisation du territoire en provinces, accentuera ce phénomène d'importations systématiques de produits en direction de Rome. Une nouvelle institution administrative, l'*annone,* organise l'importation du blé et de l'huile nécessaires à l'approvisionnement de la ville. Carrières et mines impériales sont partout exploitées (mines du Portugal, d'Espagne, marbres de Grèce, d'Asie, d'Italie bien sûr, de Gaule et même d'Afrique). La nouvelle mode des combats du cirque, avec des centaines d'animaux sauvages qu'on oppose aux gladiateurs, crée tout un trafic qui relie Rome à l'Afrique noire. Ces grandes importations ne doivent pas faire oublier l'importance du commerce local et régional : chaque cité a sa place du marché, couvert ou à l'air libre, sans doute grouillant d'activités et de vie ; il n'en reste pas moins que Rome a inauguré l'ère des grands échanges. Le port d'Ostie, aménagé sous Claude pour devenir le grand port de Rome, voit toute une place couverte de mosaïques portant mention des villes et des régions en rapport commercial avec Rome, et la littérature même se fait le reflet de cette opulence : *Le Banquet de Trimalcion,* de Pétrone, montre un riche affranchi proposant à ses invités un repas qui est une véritable vitrine de l'Empire ; les mets y viennent des quatre coins de la Méditerranée. Plaisir gustatif, peut-être, mais surtout fierté de voir toutes les provinces fournir à l'*Urbs* les moyens de son art de vivre. La paix sociale est d'ailleurs à ce prix ; chaque disette romaine ébranle dangereusement les fondations du pouvoir. Même si la Méditerranée évolue en uniformisant peu à peu son mode de vie autour des valeurs romaines (urbanisation, agriculture et artisanat se reproduisent avec le même patron un peu partout), certaines régions protègent leurs spécificités, surtout quand il s'agit de fabriquer des produits de luxe : la soie fine vient du Levant ; le lin, d'Égypte ; la laine, de Gaule ; les bronzes, de Corinthe ; etc. La céramique de luxe, la *sigillée* rouge, ainsi nommée parce qu'elle porte le sceau de son atelier de fabrication, a d'abord été une spécialité de Campanie, puis, la demande dépassant l'offre, elle s'installe un peu partout, en Toscane sous le principat d'Auguste, en Gaule puis en Espagne, en Afrique et en Orient. Cette activité débordante ne fait guère évoluer les mentalités : le travail, artisanal ou commercial, n'est pas plus valorisé qu'avant et n'est jamais un bien en soi. Le *tripalium* (qui donnera le mot « travail ») est avant tout un instrument de torture et l'*otium* (le loisir, le **nec-otium* étant sa négation, d'où le mot « négoce ») qui laisse l'esprit libre de penser et de se cultiver, reste l'idéal du Méditerranéen aisé romanisé. Mais les besoins de Rome et des grandes cités riches sont tels qu'il faut bien développer les marchés, créer de nouvelles routes maritimes et caravanières, traiter avec les peuples intermédiaires, les nomades garamantes grands maîtres des pistes libyennes, les Nabatéens fournisseurs d'épices venues droit du Yémen et des Indes, les Palmyréniens qui contrôlent les caravanes de chameaux venues de Mésopotamie. Tous ces intermédiaires – caravaniers qu'on a en vain essayé de supprimer au cours d'expéditions aussi coûteuses qu'inefficaces, et ateliers qui retravaillent les produits bruts avant de les envoyer à Rome – élèvent bien sûr le prix des denrées. En cela, commerces antique et moderne se rejoignent : les intermédiaires s'y enrichissent bien plus que les producteurs eux-mêmes !

Dans la mesure où tous ces produits transitent par la Méditerranée, plus sûre que les routes terrestres des marges de l'Empire (d'autant plus que le réseau terrestre répond à des exigences davantage militaires que commerciales), on comprend l'expression « *Mare Nostrum* » : l'espace méditerranéen est devenu le bien des

Romains, qui garantit leur approvisionnement et leur sécurité. Sans compter que l'hellénisation puis la romanisation du monde ont contribué à uniformiser le paysage, à créer un monde unitaire, et un voyageur qui irait d'Espagne en Syrie en passant par l'Afrique du Nord ou la Grèce contemplerait peu ou prou le même genre de cité, les mêmes cultures, les mêmes échoppes d'artisans ; cette unité correspond précisément à cette civilisation classique dessinée ici. Reste à décrire justement l'espace urbain des Romains, car l'aspect des villes a considérablement changé depuis la cité classique des Grecs.

L'urbanisme

On se souvient que la cité athénienne était construite autour de deux pôles : l'espace des dieux et l'espace politique des hommes. Les hommes étaient au pied de leur Acropole tout entière vouée aux divinités protectrices, groupés autour de monuments publics, unis par les mêmes intérêts et les mêmes activités. Les royaumes hellénistiques ont changé les données, dans la mesure où la personne du roi, ou du riche *évergète,* sommé de dépenser son bien pour sa cité, a donné aux villes des monuments faits à la fois pour promouvoir la cité et pour souligner la puissance de son dirigeant, ce qui en changea l'agencement. Rappelons les grands traits de cet *évergétisme* qui toucha à la fois les royaumes hellénistiques et l'Empire romain. Dans la mesure où ces sociétés antiques ignoraient l'imposition directe, les cités avaient de gros problèmes de financement, et c'étaient les riches qui devaient contribuer au bien-être de leur cité. La société classique connaissait déjà les *liturgies,* qui voyaient les plus riches citoyens financer une semaine théâtrale ou une procession religieuse. L'évergétisme reprend ce système et l'amplifie : les riches sont appelés, à n'importe quel moment, à faire bénéficier leur cité de leurs richesses, sans qu'ils en obtiennent jamais le moindre avantage politique, du moins au début. Plus le temps passera et plus l'évergète se fera tirer l'oreille et exigera des compensations pour ses largesses : il deviendra alors un « notable », un personnage à l'autorité redoutable. Outre l'approvisionnement de sa cité en blé et en huile, les distributions de nourriture, le financement des fêtes religieuses, les évergètes dotent leur cité d'édifices qui font d'elle une *polis* ou une *civitas* civilisée. Et certains monuments sont les marques inévitables de la civilisation hellénistique : portiques, marchés, gymnases, thermes, édifices d'adduction d'eau comme aqueducs et fontaines, autant de signes qui différencient la cité de la campagne, l'homme civilisé du barbare. C'est ainsi que de généreux évergètes ont embelli le monde méditerranéen, comme Hérode Atticus, le rhéteur maître de Marc Aurèle qui dispensa ses bienfaits à Athènes ou à Corinthe. On insiste d'ailleurs sur « l'apparence » lorsqu'on offre un monument ; l'évergétisme n'est pas là pour aider les plus pauvres, mais pour construire une magnifique vitrine à la cité, au risque de se ruiner, et dans le but de se voir ériger une statue ou attribuer des titres ronflants et des places d'honneur aux spectacles. La ville hellénistique se déploie donc partout sur le même modèle, avec un plan quadrillé bien net (lorsque le terrain plat le permet) et ses monuments devenus obligatoires, construits par de généreux donateurs. Rome suit le mouvement, mais en donnant au phénomène un sens bien plus politique. Lorsque les Imperatores introduisent à Rome le culte du chef, de l'individu, ils se servent des monuments, bien visibles de tous côtés, comme de banderoles pour asseoir leur pouvoir. C'est ainsi que Pompée (« le Grand ») donne à Rome son premier théâtre en pierre, en 55 avant J.-C. La construction couvre tout un quartier et dépasse largement le théâtre proprement dit (portiques, fontaines, jardins, etc.), mais l'élément le plus significatif est sans doute la grande statue de Pompée portant le monde dans sa main, érigée face au théâtre lui-même, à l'entrée de ce qui deviendra la *Curie* (salle du Sénat), ainsi que les 14 statues adjacentes représentant les 14 nations vaincues par Pompée : l'urbanisme se met petit à petit au service d'un individu, et César fera de même 10 ans plus tard

(*Curia Julia,* basilique Julia, nouveau forum), avant de mourir assassiné, ironie du sort, dans la Curie aménagée par son prédécesseur. Avec l'Empire, c'est la surenchère, chacun voulant construire plus grand, plus beau que son rival, surtout après Tibère qui se vantait, avarice ou prudence, de n'avoir pas beaucoup dépensé en constructions de prestige. Il faut dire qu'Auguste avait dépensé pour deux : le principat a considérablement modifié le paysage romain. Vitruve, auteur de *Sur l'architecture,* fut mis à contribution, et sans doute des dizaines d'architectes qui n'ont pas laissé leur nom. Rénovation d'anciens monuments mis à mal pendant la guerre civile, réaménagement du forum avec un temple au « Divin Jules » et un arc de triomphe, nouveau forum avec une statue du prince qui s'ajoute à celles de tous ceux, depuis Énée, qui ont fait la grandeur de Rome, des symboles de ses victoires militaires ; ajoutons l'autel de la Paix (*Ara Pacis*) sur le Champ de Mars, à la gloire de la réconciliation assurée par le prince, le monument funéraire d'Auguste et de sa famille au même endroit, et, sur le Palatin, accolés dans une même gloire divine, un temple d'Apollon et la maison du prince lui-même. La signification en est claire et ses successeurs ne s'y tromperont pas : les palais impériaux se succéderont sur la colline, pesant de tout leur poids sur la ville, de la maison de Tibère à celle de Septime Sévère.

Ainsi préparé, l'avenir de Rome est tout tracé. Sa population (peut-être un million d'habitants) s'entasse au bord de rues étroites dans des *insulae* qui s'écroulent et flambent fréquemment, tandis que les gens aisés se construisent des *domus* sur les collines, tous les habitants gardant devant les yeux les monuments-symboles du pouvoir. Toute la ville est par ailleurs sous la menace du feu : on connaît le gigantesque incendie de 64, sous Néron, qui toucha 10 quartiers sur 14 et dont les chrétiens, boucs émissaires tout désignés, firent les frais. Cette « table rase » permit à Néron de construire sa « Maison Dorée », avec sa propre statue dont les dimensions colossales donneront son nom au *Colisée,* édifié à cet endroit par Vespasien. Et tous les empereurs ajouteront leur pierre à l'édifice : thermes (Nerva, Titus, Trajan, Caracalla), arcs de triomphe (Titus, Septime Sévère), temples du culte impérial, *fora* impériaux, basiliques pour les tribunaux, les changeurs et les magistrats, etc. L'urbanisme permet de visualiser la puissance de l'Empire et du prince régnant, au prix d'un résultat assez hétéroclite quand on songe aux dizaines de statues, arcs et autres offrandes parallèles qui rivalisaient d'arrogance sur son territoire.

Les autres cités de l'Empire essaient de reproduire le même patron : entrées monumentales avec mention du pouvoir impérial, forum avec temples, basiliques, curie, bâtiments « culturels » (théâtres et odéons, bibliothèques), espaces de loisir (gymnase, thermes, amphithéâtre, cirque, stade), sanctuaires capitolins, avenues bordées de portiques (*plateia*) avec fontaines. S'il est vrai que l'urbanisme reflète un art de vivre, c'est effectivement une civilisation de la puissance et du bien-être qui se dessine partout dans l'Empire ; et si l'on se souvient que Rome a confié chaque fois que c'était possible l'administration locale aux élites indigènes, on comprend que les notables des cités provinciales avaient à cœur de participer à la civilisation, de se montrer solidaires de la superbe capitale et de reproduire autant que faire se pouvait les mêmes composantes dans leur cité.

Il existe donc une civilisation urbaine méditerranéenne commune qui, par-delà les variations régionales, sculpte la ville tout autour de la mer intérieure. Il n'est pas exagéré de dire que les villes actuelles en gardent l'empreinte.

Chapitre IV

Du cosmos au microcosme, une vision du monde

Après avoir décrit l'organisation sociale, politique, religieuse des Anciens, nous aimerions montrer à quel point leur univers spirituel était différent du nôtre, découvrir quelle était leur vision de l'Au-delà, quelle place ils allouaient à l'homme dans l'Univers, quel était leur rapport au monde, à l'Autre. En fait, tout découle de leur vision du Cosmos : quand on connaît leur conception de l'Univers, on se rend compte que le monde terrestre est pour eux le reflet du monde cosmique, organisé consciemment ou non de la même façon. Le vocabulaire lui-même est révélateur : le Cosmos, c'est l'Univers ordonné, discipliné, celui qui a succédé au Chaos de funeste mémoire, et le verbe *kosmein* veut dire en grec « agencer, mettre de l'ordre » et cela va jusqu'au « cosmétique » qui doit lui aussi mettre de l'ordre dans une esthétique qui, restée à l'état naturel, laisserait bien à désirer... : il est essentiel pour un Ancien de « mettre de l'ordre » dans ce qui resterait, si on le laissait inculte, un chaos barbare. La notion de civilisation est liée à l'ordonnance de la nature, et, que ce soit la *polis* grecque ou la *civitas* romaine, chacune tend à bien marquer la différence entre le monde rural, encore proche de la barbarie, et le monde de la cité, d'où les monuments obligés et symboliques et, souvent, le rempart, limite géographique du monde civilisé et plus chargé de symbole que de volonté défensive.

Voyons donc leur conception du monde, et le reste en découlera.

L'homme et le Cosmos, l'homme et la cité

Il faut remonter loin dans l'histoire pour rejoindre les penseurs qui, les premiers, se sont interrogés sur la *Physis* qui a réglé la création et la transformation du Cosmos, sans plus invoquer la seule mythologie. On a déjà mentionné dans la deuxième partie les présocratiques qui, en Ionie, à Abdère ou en Grande Grèce, furent les initiateurs de cette recherche. Présocratiques et « socratiques » se suivent et se complètent, sous une apparence incompatibilité : si les premiers cherchaient avant tout aux VIIe-VIe siècles le principe premier organisateur du monde, les seconds allaient privilégier au Ve siècle l'étude de l'homme par rapport à celle du Cosmos, d'où la jolie phrase de Cicéron (*Tusc.* 5, 4) disant que Socrate « fait descendre la philosophie du ciel sur la terre ». Il n'est pas question ici de décrire chacune de ces écoles et de voir comment la pensée a évolué, mais de montrer, globalement, comment cette pensée a pu influencer les conceptions des Anciens et régler leur façon de concevoir leur place dans le monde.

Tous les présocratiques et leurs disciples sont d'accord pour dire qu'une *Physis,* un principe premier, organise le Cosmos. Pour certains, il s'agit d'un principe concret et matériel, l'eau (Thalès), l'air ou le feu (Héraclite), à moins qu'on ne prône le multiple au lieu de ce monisme, comme Empédocle croyant en « quatre racines de toutes choses » (feu, eau, air, terre). Ce principe n'empêche pas d'ailleurs qu'il puisse exister au-dessus de lui un « principe spirituel », le *Logos* d'Héraclite ou le *Nous* d'Anaxagore, mais cette réalité fondamentale n'a rien d'obligatoire : les atomistes d'Abdère s'en passent, puisque pour eux même l'âme est un agrégat d'atomes qui se meuvent, se rejoignent et se séparent dans le vide, en un système purement mécanique et matérialiste. Ajoutons les forces dont les conflits cosmiques produisent la réduction à l'Un, que ce soit

Polémos chez Héraclite, « le Conflit » qui s'oppose au *Logos,* ou « l'Amitié » et « la Discorde » chez Empédocle. L'essentiel est de constater cette tendance qui voit une organisation stricte dans le Cosmos, organisation poussée jusqu'à l'extrême discipline chez Anaxagore de Clazomènes, maître à penser de Périclès, pour qui « au commencement était le *Chaos*, puis vint le *Nous* (Intelligence) qui mit tout en ordre ». Entre le Chaos, vu comme un vide, et le Cosmos bien ordonné grâce à l'Intelligence, il y a toute une rationalité qui ne fut pas sans influencer Périclès, dans sa volonté d'ordonner la cité autour d'un principe d'Intelligence, incarné par sa propre personne. Est-ce là l'ambition qui choqua les sophistes, tout au moins certains d'entre eux ? Antiphon oppose violemment la *Physis* garante du Cosmos, respectable et admirable, et le *Nomos* (la loi humaine), pur produit de l'activité humaine, donc contestable et contingent. Dans la mesure où le *Nomos* était à la base même du fonctionnement de la cité démocratique, la contestation était grave, et on voit bien là que le monde des hommes ne pouvait se définir tout à fait comme le reflet du monde de la Nature.

Mais seule une minorité finalement contesta le *Nomos* : Protagoras, sophiste abdéritain, n'en fut pas moins le législateur de la colonie athénienne de Thourioi en Italie du sud, où travaillait aussi l'architecte et penseur Hippodamos de Milet, célèbre pour ses plans d'urbanisme « en damier ». Ces deux personnages sont donc bien respectueux de la notion d'*ordre,* ordre obtenu grâce aux lois humaines, ordre visualisé par une claire et fonctionnelle ordonnance des rues se coupant à angle droit, ordre que ne contestera pas non plus le philosophe Socrate. Même s'il prône la remise en question, même s'il interdit à ses disciples la stérile autosatisfaction, même s'il joue continuellement le « poisson-torpille » qui secoue les conservateurs et pousse toujours plus loin les questionnements, Socrate est un parfait citoyen, bon soldat, respectueux des lois de sa cité jusqu'à en mourir, une cité où il se promène tout le jour, drainant après lui le passant qui veut converser, où il a ses repères qui lui interdisent de fuir alors qu'il le peut encore, aux derniers jours de sa détention.

La géographie du monde habité

Cette vision du Cosmos ordonné a créé, on le voit, une image de la *polis* elle aussi bien organisée, contestée parfois, imitée le plus souvent, et la *civitas* romaine ne sera pas différente. Dans la mesure où le monde des hommes reflète le monde de l'Univers cosmique, il n'est pas étonnant que la vision des premiers historiens-géographes épouse celle des physiciens : les premiers logographes, prosateurs auteurs de *Descriptions de la terre* et autres *Périégèses,* recherchent une certaine ordonnance du monde habité, comme les physiciens l'ont fait dans le domaine cosmique. Hécatée de Milet et le premier historien Hérodote, son émule qui aime à le contredire, exercent leur esprit critique dans une quête de la vérité qui devient typique de la pensée grecque. À une époque où l'histoire et la géographie sont encore intimement liées (elles le resteront pendant de longs siècles), Hérodote dessine une carte du monde où les Grecs occupent le centre civilisé puisque Delphes, siège du « nombril » de la terre (l'*omphalos*) est sous la pointe du compas. Dans le grand conflit entre Grecs et Perses, dont la narration sert de point de départ à ses *Histoires,* on commence à percevoir une vision du monde et de l'Autre qui restera celle des « classiques », qu'ils soient grecs ou romains. Malgré une curiosité, une ouverture à l'Autre qui lui ont valu de se faire traiter de *philobarbaros* par Plutarque, Hérodote voit l'*oikoumène* comme un grand rond, ordonné en cercles concentriques autour de Delphes. Plus on s'éloigne du centre civilisé, plus on rencontre des peuples étranges, dont la barbarie s'aggrave à la mesure de leur éloignement. Cette vision n'empêche pas la sympathie : Hérodote respecte la différence, montre souvent la relativité des us et coutumes, admire la sagesse de certains Orientaux. Reste que les barbares ignorent le bel ordonnancement voulu par les Grecs, celui d'Athènes si bien gérée par Périclès qu'Hérodote admirait, ou de sa colonie Thourioi, en Italie du sud, où notre historien semble bien avoir fini sa vie. Pas besoin d'aller au bout du monde pour en saisir l'étrangeté : l'Égypte, si proche de la Grèce sur tous les plans (géographique, commercial, culturel s'il est vrai qu'elle a beaucoup influencé les philosophes ioniens comme Thalès ou Pythagore), si admirable d'ancienneté et de tradition, est néanmoins un pays riche en prodiges inquiétants, avec des êtres humains qui « font tout à l'envers ». Alors que dire des régions plus lointaines, de ces peuples des confins où les monstruosités se multiplient, où de sinistres cannibales mangent leurs parents malades, où les Pygmées et les Cynocéphales vivent comme des chiens, bref, où la civilisation ne s'est pas installée, où le *Nous,* le *Logos* n'ont pas droit de cité, où la barbarie est sans limite. Le seul espoir est de voir les Grecs prêcher la bonne parole dans toute l'*oikoumène,* pour sortir les barbares de leur néant : c'est ainsi que l'on voit, chez Hérodote, Solon converser avec le pharaon Amasis, avec le roi lydien Crésus. Et ces barbares deviennent grâce à lui « presque » civilisés. Le barbare reste néanmoins l'être d'un autre monde : Crésus est maladroit, ignore la *mesure* chère aux Grecs ; Hérodote ironise en décrivant ses offrandes à Delphes car il en donne dix fois trop, emporté par l'*hybris,* la démesure barbare. Mais il est moins barbare qu'un Perse, qui habite encore plus loin à l'est… C'est donc une sorte de « mission », pour les êtres civilisés, que de ranger les barbares sous leur domination, de les acculturer : un bon barbare est un barbare hellénisé. Même les royaumes hellénistiques, disséminés un peu partout en territoires indigènes, voient les Grecs mener une sorte de vie parallèle, avec leurs écoles, leurs quartiers séparés de ceux des autochtones. Alexandrie en est un bon exemple : il n'y a guère symbiose, sauf exception, entre les Grecs au pouvoir et la population égyptienne, et le vocabulaire lui-même prouve que les Grecs ont su, sans violence, imposer leur langue pour décrire les réalités égyptiennes :

l'« hippopotame », le « crocodile », l'« autruche » se sont imposés, alors que les mots égyptiens ne demandaient qu'à servir.

Les Romains n'agiront pas autrement, comptant peut-être plus sur la force de leur armée et sur leur habile administration que sur les discours d'un Solon. Mais le résultat est le même : quand Rome décerne à un barbare la citoyenneté romaine, c'est le plus souvent parce que ce barbare est un riche notable qu'il serait bon de rendre redevable et fidèle. Et lorsque les sociétés indigènes se montrent trop voyantes, Rome déclare vite la guerre : les Juifs, les chrétiens, les Musulames et les Maures d'Afrique du Nord l'apprennent à leur dépens. Pour les Grecs comme pour les Romains, et nonobstant les nuances qui s'imposent, il est une bipolarité qui jette les bases du monde habité : on est civilisé ou barbare, et le barbare n'est jamais jugé en fonction de sa nature propre, mais en fonction de ce qu'il n'est pas, en négatif dangereux pour le Cosmos originel.

C'est ainsi que l'espace est logiquement organisé, avec finalement une Méditerranée devenue gréco-romaine, la *Mare Nostrum,* unie dans une même communauté d'esprit, autour de laquelle évolue le Chaos. Dans ce Chaos vivent les peuples restés insoumis, des barbares inquiétants, les Celtes moustachus de la Gaule Chevelue, les Germains assassins de l'axe danubien, les Brigantes de Bretagne, les Perses sassanides à l'insigne cruauté. Seuls les pays nébuleux (celui des Hyperboréens, au nord) ou fabuleusement riches, à l'est, offrent une image plus ambiguë, inquiétante certes, mais fascinante aussi : les Indes d'où les caravanes de chameaux ramènent les précieuses épices et les pierres et soieries si demandées ne sauraient être uniment barbares, il doit y rester des miettes d'Âge d'or ; et ces pays d'El Dorado deviennent petit à petit des pays mythiques dans les littératures grecque et romaine, où la pire barbarie côtoie l'innocence et l'abondance des premiers âges. Est-il permis de remarquer que l'Extrême-Orient n'a rien perdu, même au XXe siècle, de son pouvoir de séduction...

L'homme en société

Du Cosmos universel, on est descendu dans l'*oikoumène* bien structurée, pour arriver à la *polis,* la *civitas* construites sur le même modèle. Rien d'étonnant dès lors que la vie en cité soit organisée en fonction des mêmes exigences : la mise en ordre de l'espace, la valorisation de la vie civilisée, du groupe garant de cette vie raffinée. On a eu l'occasion de souligner l'importance des groupes, de la collectivité en Grèce et à Rome. Phénomène bien naturel puisque la cité est un microcosme construit selon les mêmes principes que le vaste Univers. Pour faire face au Chaos, il faut faire bloc, assurer la cohésion sociale, repousser l'individu dont les intérêts sont parfois différents de ceux de la collectivité, chasser tous les hors-la-loi qui pourraient faire retomber la cité dans le gouffre de la barbarie. Cette nécessité explique de nombreux aspects de la vie quotidienne des Anciens :

On comprend ainsi l'importance, le nombre et la fréquence des *fêtes collectives,* occasions de grands rassemblements populaires. Les fêtes religieuses en Grèce et à Rome sont un devoir, et les processions voient défiler toute la population en corps constitués. Pas question de remettre en cause un panthéon qui, nous l'avons dit, sert surtout de ciment social et peut s'enrichir de dieux étrangers si le groupe l'exige. L'essentiel est de respecter sans sourciller ces divinités garantes d'harmonie sociale : les sophistes comme Protagoras, sceptique à leur égard, Anaxagore et Socrate, plus soucieux du *Nous* et du Bien que de Zeus et de Héra font les frais de cette exigence : tous trois sont poursuivis pour impiété. Les Juifs et les chrétiens apprennent aussi que le culte impérial est plus une nécessité politique qu'une histoire de foi. Les concours scéniques exigent également la participation de tous (l'État se charge de payer l'entrée des plus pauvres, mais chacun est placé dans l'hémicycle conformément à son rang social). Les jeux sportifs sont d'une importance si capitale qu'une trêve sacrée arrête tous les conflits et réunit tous les

Grecs : être admis aux jeux olympiques équivaut à obtenir un certificat de citoyenneté, et les Macédoniens Philippe et Alexandre feront tout pour prouver qu'ils peuvent légitimement concourir et faire ainsi partie des peuples dits « civilisés ». Même remarque pour les jeux de l'amphithéâtre et du cirque à Rome, habilement récupérés comme instruments du pouvoir sous l'Empire (le fameux « *Panes et Circenses* » qui assure le contrôle de la foule par l'État). Et il est jusqu'aux loisirs apparemment les plus innocents, les plus individuels de nos jours, qui s'exercent collectivement : les thermes, les gymnases attirent les jeunes gens qui s'entraînent tous ensemble, et on ne va pas dans les bibliothèques pour s'abîmer en une lecture silencieuse et solitaire, on y retrouve les autres citoyens, la lecture est collective, à haute voix ou à mi-voix, et on y discute encore des intérêts de l'État.

Puisque l'intérêt de l'individu s'efface derrière l'intérêt du groupe, la famille est évidemment un lieu très marqué par la vie sociale, bien moins « privé » qu'elle ne l'est à notre époque. La vie du citoyen est d'un bout à l'autre ponctuée de rites sociaux intégrant l'individu au groupe, et il arrive que toutes ces étapes soient des affaires non privées mais éminemment publiques : ainsi le nouveau-né athénien est présenté par son père à la *phratrie,* et il peut arriver que, à la fin de sa vie, ce soit la cité elle-même qui organise ses funérailles, arrachant pour la dernière fois le corps du soldat-citoyen à sa propre famille pour le donner à la seule famille qui soit digne de lui : la collectivité tout entière. Entre les deux extrêmes se succèdent les rites de passage et le mariage, lui aussi pacte social, arrangé par les parents pour complaire à la cité : on prend femme légitime à Athènes et à Rome pour donner des citoyens à la cité, gare aux célibataires et aux femmes stériles, frappés d'infamie et mis à l'amende. Gare aussi aux enfants chétifs peu aptes à soutenir leur cité : à Athènes, à Sparte, à Rome, on n'hésite pas à abandonner ou à supprimer les nouveau-nés débiles. Les mythes sont là pour donner bonne conscience, riches qu'ils sont en bébés abandonnés recueillis et promis à un glorieux avenir : quand on connaît le destin de Sémiramis, de Moïse, d'Œdipe, de Romulus, on peut toujours se dire que l'enfant abandonné deviendra chef, roi ou reine, et le geste en est adouci...

Mariage et famille

C'est peu dire par conséquent que le rapport à l'amour et à la vie privée est entièrement différent du nôtre. Amour et mariage sont bien séparés : le Grec et le Romain respectent leur épouse légitime, mère de leurs enfants, mais entretiennent parallèlement concubines et amours ancillaires en toute impunité. Difficile pour l'épouse d'agir pareillement en raison du risque de naissance illégitime qui mettrait en danger l'héritage, mais ce n'est pas un jugement moral qui l'arrêterait. Seuls comptent encore une fois le maintien de l'ordre social, la sauvegarde du patrimoine et l'homogénéité du corps civique. Si les apparences sont sauves, il est permis de faire un peu n'importe quoi... Le regard plus que méfiant porté sur l'Éros n'est pas un geste classique, et il n'est qu'à relire *Le Banquet* de Platon et les poèmes érotiques, ainsi qu'à admirer les fresques de Pompéi pour comprendre que le péché de chair est une spécialité chrétienne inconnue des Anciens.

Malgré tout, il serait faux de prétendre que les mentalités n'ont pas évolué pendant toute l'histoire des Grecs et des Romains. Petit à petit, l'obsession de la vie collective s'atténue, et d'une façon générale le mode de vie romain accorde de plus en plus d'importance à l'*individu*. Est-ce le régime impérial qui, donnant le pouvoir quasi absolu à un seul homme, libère le groupe de ses obligations ? Toujours est-il que le droit romain songe à défendre la notion de personne, la *pietas* devient de plus en plus individuelle, et la *familia* garde, comme l'*oikos* grec, le sens de cercle sécurisant, et regroupe famille, esclaves et toutes les possessions du *paterfamilias* ; mais elle donne de plus en plus d'importance à la cellule familiale, et à l'intérieur de celle-ci au couple parental. Le couple grec était éclaté, le père œuvrant à l'extérieur, la mère reléguée dans le gynécée (du moins dans une société comme Athènes), vivant avec les femmes et ses enfants en bas âge. Et le petit garçon, élevé avec sa mère, rejoignait à 7 ans son père pour recevoir une éducation plus virile, jusqu'à ce que la cité lui demande de rejoindre les *éphèbes* de 18 à 20 ans, lui permettant ainsi de s'intégrer dans le monde adulte des citoyens-soldats. À Sparte, l'enfant était encore plus tôt séparé de sa famille, pris en main par le groupe à 7 ans et encaserné de 12 à 30 ans, n'ayant comme véritable famille que la cité elle-même. À Rome, les parents sont plus unis dans l'éducation des enfants et, dès les premiers temps de la République, on voit le vieux Caton, très attaché aux traditions, montrer aux parents toute l'importance des repas familiaux au cours desquels l'enfant s'instruit en écoutant les conversations des deux parents. *Paterfamilias* et *materfamilias* deviennent les deux garants d'une bonne éducation, et l'histoire romaine est riche en mères vénérables et respectées.

Non que la situation de la femme se soit radicalement transformée : les Anciens sont et restent misogynes. Les Athéniens considéraient leurs femmes comme des mineures qui devaient rester sous la tutelle d'un tuteur (*kurios*) toute leur vie (père, mari ou fils), à peine plus évoluées que les femelles animales (les textes de *L'Histoire des animaux* d'Aristote sont à cet égard édifiants, les textes des médecins également...), incapables de témoigner en justice, de posséder quoi que ce soit, et dont la seule mission était de fournir des citoyens à la cité. Les différences d'âge entre mari et femme incitaient d'ailleurs l'époux à traiter sa jeune épouse en éternelle mineure, et *L'Économique* de Xénophon présente en modèle une charmante et toute jeune fille qui passe de la maison de son père à celle de son mari, complètement naïve et ignorante mais très obéissante, que son époux Ischomaque va « dresser » en douceur, comme il a déjà dressé ses chevaux et ses chiens. La relative liberté de mouvement des femmes spartiates ne doit pas faire illusion : si on les laisse faire de la gymnastique comme les garçons, c'est par souci d'eugénisme, pour qu'elles deviennent des mères bien charpentées, et si elles gèrent elles-mêmes les terres, c'est que leur mari est à la caserne ou à la guerre. À Rome, ce n'est guère la femme qui est plus valorisée, mais la mère, la *materfamilias* qui assure l'avenir de la collectivité. Mais on sent néanmoins une évolution : la femme peut posséder, peut témoigner, et les écoles sont ouvertes aux garçons et aux filles sans distinction jusqu'à l'âge de douze ans. Qu'une petite fille sache lire et écrire n'est pas sans conséquence, et on sait bien encore en cette fin du XXe siècle que l'émancipation de la femme dans le monde passe par sa scolarisation. La littérature est riche en textes adressés à des femmes. Même s'il s'agit de textes très conservateurs (les lettres de « Consolations » à une veuve, à une mère qui a perdu un fils, comme les lettres de Cicéron, de Sénèque), même si ces femmes font toutes partie de l'élite, de la bonne société romaine, on ne peut s'empêcher de remarquer que les lettres grecques n'offraient rien de semblable.

Cette découverte de l'individu prépare bien sûr la voie au christianisme qui, lui, donnera toute sa valeur à la personne. La nouvelle religion s'appuie d'ailleurs sur cette promotion de l'individu qui ne peut que plaire aux humbles, et c'est parmi eux qu'elle recrutera ses adeptes, avant de gagner les hautes sphères de la société. L'esclave, la femme sont aussi importants pour elle que le riche et le citoyen mâle ; mieux : « bienheureux les pauvres d'esprit » car « les derniers arriveront les premiers ». C'en est fini des privilèges sociaux, des groupes hiérarchisés, des élites inaccessibles. Le monde a bien changé depuis la Grèce classique où la naissance dictait toute la vie, où il était strictement impossible de passer d'un groupe à l'autre, où l'on naissait et mourait soit esclave ou métèque, soit nanti des droits civiques et politiques. Mais la Rome « païenne » avait enclenché le processus, et la vie du citoyen romain n'était déjà plus tout entière réglée, rythmée par les impératifs sociaux. Rome avait créé petit à petit un mode de vie sur lequel le christianisme saurait s'appuyer, et nous pouvons dire en cela que notre structure familiale, en tout cas celle qui prédomine jusqu'en cette fin du XXe siècle, c'est-à-dire patriarcale et centrée autour du couple parental, est typiquement romaine.

Finissons ce voyage au pays de l'étrange en décrivant un peu plus précisément le monde de leurs dieux, celui de l'Au-delà, qui échappe si souvent aux belles certitudes du Cosmos. C'est sans doute le domaine qui nous échappe le plus, dans la mesure où notre Occident moderne est tout confit de rationalisme et sans commune mesure avec ce monde où dieux et hommes se côtoient sans que personne en soit surpris. La plus ancienne littérature montre des dieux qui interviennent continuellement dans les affaires des hommes : dans *L'Iliade* d'Homère, la guerre entre Grecs et Troyens est orientée par les dieux de l'Olympe, en guerre également les uns contre les autres, Poséidon se montrant pro-troyen et Athéna soutenant les Grecs, avec Zeus arbitrant autant que sa séduisante épouse Héra le lui permet. Rome aussi voit son histoire influencée par les interventions secourables des divinités. En fait, le monde est peuplé de trois sortes de créatures qu'une stricte hiérarchie place les unes au-dessus des autres : les animaux tout au bas de l'échelle, puis les hommes raisonnables mais mortels, et tout en haut les dieux, raisonnables et doués d'immortalité. Pas besoin d'aller dans un « autre monde » pour les rencontrer : tout le quotidien est imprégné de présences sacrées, et les innombrables rites que l'on accomplit du matin au soir sont là pour déjouer les menaces, se concilier les dieux, obtenir leur aide. Rites très intéressés d'ailleurs : s'ils sont bien accomplis, l'aide doit survenir. Ce qui explique qu'en périodes de guerre et de crise, lorsque les dieux traditionnels font la sourde oreille (guerre du Péloponnèse chez les Grecs, guerre civile au Ier siècle avant J.-C. chez les Romains), on n'hésite pas à « punir » les dieux ingrats, à abîmer leurs temples par exemple, et on se tourne sans regret vers d'autres dieux plus secourables, des dieux étrangers et guérisseurs comme Isis ou Mithra, Dionysos ou Esculape.

Ces présences sacrées sont autant de puissances mystérieuses, vaguement inquiétantes, forces obscures qui donnent libre champ à la magie, si importante dans l'Antiquité. Elles sont perçues différemment selon le degré d'instruction de l'individu : la philosophie, la science, la médecine, la tragédie de Sophocle déjà permettent de sentir cette transcendance qui domine les hommes, mais ne leur enlève pas toute liberté, toute grandeur humaine. Œdipe a beau être aveuglé, il n'en garde pas moins toute sa noblesse d'être humain, capable de capter çà et là quelques bribes d'un savoir venu de l'autre monde ; et les devins aveugles savent bien que les yeux humains sont incapables de distinguer ce qu'ils voient, et que l'Autre Monde ne se laisse deviner que par les initiés. D'où la force des visions nocturnes chez les Anciens, l'interprétation des rêves, la force des « démons » comme celui de Socrate, la puissance des présages et de leurs exégètes, le succès des « communications » qu'un Ælius Aristide, au IIe siècle après J.-C., a su établir avec les forces de l'Au-delà. Ces puissances obscures ne disparaissent pas avec le temps, bien au contraire. Au fur et à mesure de l'affaiblissement des dieux traditionnels, quand seul le petit peuple, bien manipulé par le pouvoir soucieux de le contrôler grâce à la religion, vénérera Jupiter et Apollon, se développera la croyance en la *Tychè,* le *Fatum,* cette divinité que l'on pourrait appeler le « Destin », divinité tyrannique et changeante depuis Homère, mais qui devient de plus en plus importante à l'époque hellénistique, puis dans la religion romaine. Embryon de monothéisme, syncrétisme de toutes ces puissances qui manipulent l'être humain, renversent des destinées, enrichissent le pauvre et jettent à terre le riche, cette *Tychè* est omniprésente chez Polybe, chez Pausanias, chez tous ces Grecs intellectuels romanisés. Démunis face au Destin capricieux, les Romains ont accueilli superstitions, magies et horoscopes qui ont un grand succès, même dans les couches les plus aisées : on connaît l'obsession de Tibère qui ne pouvait plus vivre sans son mage Trasylle et qui étudiait les signes astrologiques de tous ceux qu'il rencontrait.

Cette absence de barrière entre le monde des hommes et celui des forces divines explique aussi que le monde des morts devienne parfois si « familier » aux vivants. À Rome, le défunt survit dans l'*imago* qu'on a pris soin de dessiner sur son visage ; les ancêtres prennent part à toutes les fêtes, toutes les processions par l'intermédiaire de ces « images » ; plus que symboliques, ces masques funéraires sont le signe de la véritable présence des ancêtres aux moments forts de la vie familiale et sociale. Les *Manes* sont plus que des ombres évanescentes, et les défunts ont leur fête et leurs cadeaux sans lesquels ils se fâcheraient. On rejoint là ces soldats grecs morts au combat et qu'il était si important de recueillir et de rendre à leur cité, sous peine de voir leurs âmes errer éternellement sans connaître le repos. La « belle mort » a ses rites (les belles funérailles, le bûcher purificateur) qui garantissent la survie du héros dans la mémoire collective ; la véritable mort serait de ne plus exister dans cette mémoire, c'est à cette fin que s'exerçait la *damnatio memoriæ* redoutablement efficace.

Tel est le tableau pointilliste qu'il est possible de brosser du monde gréco-romain…

Chapitre V

Le monde gréco-romain vu par les « modernes »

Bien que le monde des Anciens ait laissé des traces archéologiques, littéraires et culturelles partout visibles dans notre monde contemporain, il serait erroné de croire son histoire directement et facilement accessible. La civilisation gréco-romaine ne nous est pas parvenue intacte et immédiatement déchiffrable, loin de là.

D'une part, nous ne descendons pas uniquement des Grecs et des Romains, nous participons aussi de la civilisation celtique et de toutes ces sociétés qui se sont interposées, établies à différentes époques en Europe du sud, et qui se sont dressées entre les classiques et nous. Et par-dessus tout, nous descendons de ces premiers chrétiens dont la religion révolutionnaire s'est si bien propagée qu'elle a su imposer de toutes nouvelles valeurs humaines à la Méditerranée. Certes, ces barbares et ces chrétiens n'ont pas fait table rase du passé : certains barbares se voulaient les continuateurs respectueux de la civilisation romaine garante de modernité. Théodoric l'Ostrogoth entretenait d'ailleurs à sa cour Boèce, dont l'œuvre peut être considérée comme la compilation de tous les savoirs anciens transmis jusqu'au Moyen Âge. Et l'Église chrétienne a habilement utilisé, « récupéré », des éléments de la tradition païenne. La fête du soleil, le 25 décembre, est devenue le Noël chrétien ; le pasteur gréco-romain est devenu le bon pasteur protecteur des brebis égarées ; l'Église a planté le blé et la vigne comme

Dionysos l'avait fait bien avant elle ; et que dire de la statuaire médiévale faisant de la Vierge Marie la digne continuatrice des déesses Aphrodite-Vénus ou Artémis-Diane ? Les exemples seraient multiples. Mais, malgré cette récupération, les changements apportés furent assez importants pour que nous renoncions à nous proclamer les descendants directs des classiques. Ils vivaient sur une autre planète, la planète préchrétienne, et l'émotion qui nous les rend parfois si proches, à la lecture d'un poème ou devant une œuvre d'art, ne peut nous cacher l'abîme qui nous sépare.

D'autre part, chaque époque a jeté un regard bien particulier sur les Grecs et les Romains et les a au passage redessinés. On pourrait consacrer tout un livre à suivre, de siècle en siècle, l'image de l'antiquité classique dans l'évolution de la culture occidentale, du Moyen Âge au XXe siècle. Chaque époque a recréé, réinterprété le monde gréco-romain à la lumière de ses propres aspirations, y cherchant peut-être finalement un reflet d'elle-même. Et on peut se demander si au XXe siècle nous connaissons enfin les Grecs et les Romains, ou si nous recevons seulement les multiples images que les siècles précédents nous en ont léguées. Passons en revue ces images, et nous verrons ensuite si les méthodologies historiques actuelles, de plus en plus scientifiques et rigoureuses, nous permettent une meilleure appréhension de ce que fut leur réalité et nous protègent désormais du fantasme et de l'illusion.

D'Alexandrie au Moyen Âge

Pour bien faire comprendre à quel point l'Antiquité est une réalité mouvante, il faut d'abord souligner que la culture « classique » a eu de curieux moyens de transmission qui ont certes à chaque fois créé une tradition, transmis un bagage, mais aussi trahi le message initial, trié dans la matière au hasard des modes et de l'arbitraire. C'est ainsi que, dès l'époque grecque, au IIIe siècle, les scribes hellénistiques, les savants bibliothécaires d'Alexandrie ou de Pergame ont permis de sauvegarder les trésors de la littérature grecque en recopiant systématiquement les œuvres qu'ils trouvaient sur les bateaux voguant d'une cité à l'autre de la Méditerranée ; mais ils ont en même temps imposé leurs goûts et arbitrairement corrigé les textes qui ne leur plaisaient pas, censuré, privilégié certains auteurs aux dépens des autres, « fixé » sur le papyrus des genres littéraires qui ont alors perdu toute leur spontanéité, créé des modèles qui interdisaient désormais de faire des *épopées* autrement que comme Homère, des *odes* autres que celles d'Anacréon, des *iambes* différents de ceux d'Archiloque. Des recherches récentes tendent à prouver que la « poétique » grecque y a perdu sa fraîcheur, est devenue une littérature de bibliothèque et de musée, et que ce n'est certes pas ainsi qu'elle était perçue, au temps de ses origines, de son oralité. La mise à l'écrit serait donc la première trahison d'une culture foncièrement orale, éphémère et mouvante. *L'Iliade* telle que nous la lisons n'est certes pas celle qui fut improvisée par les aèdes, ni même celle qui fut mise par écrit au VIe siècle : elle nous échappera toujours, il faut le savoir et l'accepter.

L'Empire byzantin, à Constantinople, eut un rôle également capital dans la transmission de la culture classique, grecque surtout, et c'est grâce aux intellectuels byzantins, patriarches lettrés et inlassables copistes comme Photius ou Eustathe, qu'il est encore possible de lire Homère et Aristote. Les classes supérieures et moyennes gardaient un niveau d'instruction qui leur permit d'accéder directement à cet héritage, et des individus de grande érudition se consacrèrent à l'étude des classiques. Des chroniqueurs (Georges Le Syncelle), des grammairiens, des lexicographes (*Le Lexique* de la Souda) tentèrent de mettre de l'ordre dans l'immense patrimoine des bibliothèques byzantines, sous l'impulsion de dignitaires comme Constantin VII Porphyrogénète (912-959) ou, plus tard, la famille de Michel Psellos (1018-1078), puis des Comnènes (de 1081 à 1185). Mais là encore, les goûts des dirigeants ont grandement influencé le travail des scribes, et une nouvelle épuration a sans doute eu lieu. On sait que les scribes avaient la fâcheuse tendance d'altérer les vers pour les adapter à la métrique byzantine, on pense aussi que tout n'intéressait pas les Byzantins et qu'ils ont dû laisser perdre une bonne partie de l'héritage. Le rôle joué par Byzance fut donc primordial, mais les Grecs et les Romains en sortirent sans aucun doute mutilés.

Même processus en Occident, quand les conseillers éclairés de Charlemagne puisaient dans la littérature gréco-romaine de quoi élever le niveau intellectuel des clercs, devenus au VIe siècle à peu près illettrés. C'est l'époque des « palimpsestes », ces parchemins où, par souci d'économie, on grattait les textes profanes qu'ils portaient pour écrire à leur place les œuvres des pères de l'Église. Il est permis de penser qu'on a perdu à cette époque plus de la moitié de l'héritage classique, à cause de ce grattage assassin, à cause aussi de l'indifférence générale, de la disparition des écoles, de la dégradation de la langue latine en marche petit à petit vers la langue romane. Les Paul Diacre, Alcuin et toute l'Académie palatine formaient bien autour de Charlemagne un cénacle brillant, se donnant sans vergogne des noms pris dans la tradition antique (Angilbert était « Homère », et Alcuin, « Horatius Flaccus » !), mais le latin n'était plus très pur à leur époque, et la censure religieuse ne privilégiait certes pas *L'Art d'Aimer* d'Ovide dans les monastères de l'Empire. Quant à la scolastique médiévale, dans son désir de fusionner la pensée antique et la doctrine chrétienne, elle mettait les textes au service de Dieu et les coupait résolument de leurs racines. L'héritage antique fut alors radicalement détourné, la Grèce n'était plus le pays d'Homère mais celui des Actes des Apôtres. Elle n'attirait que parce que Paul l'avait traversée, surveillé de près par le pouvoir romain. La Bible remplaçait dans l'éducation *L'Iliade* et *L'Odyssée*. Si l'on épargnait le néoplatonisme, c'est parce qu'il pouvait à la rigueur entretenir un dialogue avec le christianisme ; et les textes latins ne servaient guère qu'à assurer un enseignement grammatical et rhétorique. Le lien n'était certes pas coupé entre les classiques et le Moyen Âge, mais ces exemples montrent à quel point les priorités avaient changé : l'important désormais était de doter l'Église d'une identité littéraire et historique et, pour ce faire, la vie des saints était plus importante que celle des poètes grecs.

Heureusement, d'autres initiatives ont permis de sauver des textes. Ainsi les Orientaux de l'Empire sassanide ont envahi au VIIe siècle Alexandrie, pillé la bibliothèque et traduit en syriaque les textes anciens : les textes philosophiques d'Aristote, les textes scientifiques des astronomes comme Ptolémée et Euclide, des médecins comme Hippocrate et Galien. Plus tard, les Arabes, unis dans la nouvelle religion de l'islam, puisent largement dans les textes anciens qui les aident à réfléchir sur, par exemple, les rapports entre la Raison et la Foi. Au fur et à mesure que leur religion se raffine, se structure, ils trouvent dans la philosophie ancienne des armes pour régler leurs conflits doctrinaux. Leur contribution est inestimable puisqu'ils ont apporté en Occident, lors de la progression de l'islam et de la formation des universités multiculturelles d'Espagne, par exemple, des textes qui y avaient disparu depuis la division de l'Empire romain. Avicenne, Averroès, autant d'Orientaux qui, à Bagdad ou en Espagne, contribuent bien autant que les Occidentaux Isidore de Séville, Bède ou Jean Scot à la transmission des classiques. Mais, on l'aura compris, au prix de nouvelles interprétations, de nouvelles traductions qui rendent les textes très différents selon les manuscrits que l'on choisit d'étudier. Les catastrophes naturelles ou criminelles avaient déjà détruit une bonne partie du patrimoine (incendie de la bibliothèque d'Alexandrie sous J. César en 47 avant J.-C., nouvel incendie dans une annexe en 391, pour ne citer que cet endroit), on imagine donc que la littérature classique n'avait pas besoin de ces multiples manipulations.

La Renaissance

Quant aux humanistes de la Renaissance, on leur doit certes un retour aux classiques et à leur littérature, leur poésie, leur morale ; l'imprimerie permet de diffuser les œuvres sous forme de multiples exemplaires identiques, ce qui transforme le livre en ouvrage de référence. Les textes anciens en sortent grandis, le savoir se répand partout de l'Italie jusqu'au nord de l'Europe, et certains auteurs deviennent à la mode, comme Aristote ou Plutarque dont les *Œuvres morales* séduisent Montaigne et les *Vies parallèles* inspirent Shakespeare. Mais les humanistes ont voulu à toute force retrouver chez les Anciens de quoi soutenir leurs aspirations vers le renouveau et l'universalité. Pour se libérer de l'emprise du Moyen Âge et de l'Église, se défaire des institutions et des traditions, ils se tournent vers les Grecs et les Romains et les placent dans un monde hors du temps, une sorte d'âge d'or de l'humanité, un paradis fait de savoir, de sagesse, de beauté, une terre aussi lointaine que l'Amérique des grandes découvertes. Les Anciens en sortent magnifiés, transformés en modèles, en spécimens d'une humanité idéale qui n'a rien de réel. Les ruines de Rome suscitent de merveilleuses méditations poétiques de Pétrarque et de Du Bellay ; Rabelais explique Hippocrate dans ses cours de médecine ; le groupe de La Pléiade, formé jadis de poètes d'Alexandrie, se reforme autour de Ronsard. Les Grecs et les Romains sont à leurs yeux de purs esprits, et pour cause : l'archéologie n'étant pas encore née, on ne connaît les Anciens que par leur littérature, et les textes sont pris pour argent comptant. Personne ne se rend encore compte que les Grecs et les Romains ne se décrivaient pas forcément tels qu'ils étaient, mais donnaient souvent l'image qu'ils se faisaient d'eux-mêmes. Nous le savons à présent parce que l'analyse des textes s'est grandement raffinée et que d'autres sources de renseignement ont complété et relativisé l'apport de la littérature, mais les humanistes l'ignoraient. Cette nouvelle déformation, cette illusion historique ne doit cependant pas faire oublier l'admirable contribution de tous ces savants qui, dans toutes les universités occidentales, de Paris à Alcala, de Londres à Louvain, de Fribourg à Rotterdam, ont encore copié, traduit, commenté les vieux textes. De Guillaume Budé à Érasme en passant par Marsile Ficin et Lorenzo Valla, ils ont su recevoir l'héritage et, en plus, intégrer les connaissances des savants byzantins, réfugiés en Italie après la prise de Constantinople en 1453. Ils furent parfois aidés aussi par de généreux mécènes, comme les Médicis, Cosme et Laurent, membres fervents de l'Académie platonicienne. Mais chaque intermédiaire redéfinissant les concepts, en modifiant la perception, c'est à chaque fois une nouvelle « Antiquité » qui voit le jour.

Le siècle classique et le Siècle des lumières

Le siècle de Louis XIV n'a pas fait mieux que la Renaissance puisqu'il a voulu trouver dans l'idéal classique des siècles de Périclès et d'Auguste la stabilité qu'il cherchait. Quant aux hommes du Siècle des lumières, ils aimaient à citer des *exempla* antiques pour résoudre des problèmes qui leur tenaient à cœur. Les grands personnages de la Révolution française ont voulu rejeter le féodalisme et le christianisme. Formés à l'école de Tite-Live et de Plutarque, les Jacobins comme Robespierre et Saint-Just ont puisé à pleines mains dans les textes anciens ; ils ont été vus comme des imitateurs de l'Antiquité, de Sparte en particulier. C'est ainsi que R. de Chateaubriand a pu écrire en 1795 : « Notre révolution a été produite en partie par des gens de lettres qui, plus habitants de Rome et d'Athènes que de leur pays, ont cherché à ramener dans l'Europe les mœurs antiques[5]. » Il est clair que l'Antiquité leur a réellement servi : ces hommes étaient tous formés à la langue de Cicéron, ils puisaient dans les textes des références communes, les images de Cincinnatus abandonnant sa charrue pour partir en guerre, des modèles d'action héroïque, toute une dramaturgie pour leurs fêtes révolu-

5. *Essai historique, politique et moral sur les révolutions anciennes et modernes considérées dans leurs rapports avec la Révolution française,* Paris, Gallimard, Bibliothèque de La Pléiade, 1978, p. 90.

tionnaires[6]. Leurs adversaires les ont à ce sujet beaucoup critiqués : invoquer les cités antiques engendrait une double illusion puisque cela conduisait à une double méprise : la France du XVIIIe siècle ne pouvait se confondre avec une nouvelle Sparte et, de toute façon, la cité antique n'était pas telle qu'ils la décrivaient. Bon nombre de théoriciens ont insisté sur cette erreur des révolutionnaires. Volney fustige cette imitation ; Condorcet pense que le modèle n'est pas chez les Anciens, mais plutôt en Angleterre ou en Amérique ; Benjamin Constant montre aussi à quel point l'identification avec les Anciens est illusoire, à quel point la Liberté des Modernes se distingue de la Liberté des Anciens. Toute une polémique se crée, Constant s'oppose à Rousseau : alors que J.-J. Rousseau idéalisait les Anciens, Constant insiste sur l'esclavage sans lequel « vingt mille Athéniens n'auraient pu délibérer chaque jour sur la place publique » et prône le système représentatif des Modernes, garant de leur liberté. Là encore, on est obligé de constater que le passé est utilisé à des fins partisanes, et il semble d'ailleurs que ce soit dans les moments les plus troublés, les plus incertains, que l'on s'acharne le plus à reconstruire, voire à fabriquer un passé où l'on puise références et modèles.

Mais le XVIIIe siècle a apporté une autre contribution à la connaissance des Anciens, bien plus importante peut-être : il voit les premières découvertes archéologiques, première étape vers la lente mise au point des méthodes de l'archéologie au siècle suivant. Il y avait déjà des aristocrates-collectionneurs d'objets antiques, qui achetaient sans compter et exposaient leurs trésors. Mais l'archéologie ne s'intéresse pas seulement à l'art et au bel objet, elle sort de terre les monuments, les objets de la vie quotidienne, et donne une nouvelle dimension à l'Antiquité. Si l'archéologie n'a

---

6. C. Mossé, *L'Antiquité dans la Révolution française,* Paris, A. Michel, 1989 ; P. Vidal-Naquet, *La Démocratie grecque vue d'ailleurs,* Paris, Flammarion, 1990.

d'abord suscité qu'un attrait pour le pittoresque et l'esthétique classique, si elle a encore nourri les rêveries sur le passé et suscité celles des romantiques du XIXe siècle, elle a aussi complètement modifié notre rapport aux Anciens. On a découvert que les Grecs, si sublimes, vivaient dans des maisons sans confort, que les superbes monuments romains ne devaient pas faire oublier les *insulæ* insalubres. Remise en perspective salutaire qui poussa les chercheurs à repartir presque de zéro. On ne pouvait être spécialiste de littérature en ignorant superbement les découvertes des archéologues, il fallait croiser désormais les sources de types divers, les éclairer de façon différente, multiplier les grilles d'analyse et regarder les Anciens avec un œil plus réaliste, pour les remettre à leur juste place. La recherche sur le monde gréco-romain repartait donc sur d'autres bases, et l'on pouvait espérer que la démarche serait de plus en plus scientifique.

Le XIXe et le début du XXe siècle

Elle le fut en effet, ce qui n'empêcha aucunement de nouvelles projections idéologiques au XIXe siècle. On connaît *La Cité antique* de Fustel de Coulanges, publiée en 1864. Il est clair que Fustel présente là une magistrale leçon, mais il est clair aussi qu'il se sert de la Grèce et de Rome pour planter les racines de la France moderne. Son refus des influences germaines, celtes et slaves, son insistance sur le culte des ancêtres, son étude sur l'origine de la propriété privée, protégée durant toute l'Antiquité par la religion, sont des thèses très personnelles qui influenceront grandement les recherches ultérieures, celles de Marx sur l'origine de la propriété et ses rapports avec la religion, celles d'É. Durkheim qui sera son élève. Ce n'est pas non plus un hasard si à Alésia, toujours au XIXe siècle, la grande statue de Vercingétorix, devenu le symbole de la liberté gauloise, a les traits de Napoléon III ! Plus les objets sortent de terre et plus la vision qu'on en a se ramifie : au XIXe siècle, l'art antique a inspiré bon nombre de poètes, des peintres comme J.-J. David, des sculpteurs comme Canova. Cet art dit « classique » peut ne pas être non plus sans arrière-pensée politique : les immenses toiles de David chantent visiblement la liberté et la Révolution française. Cet art assez froid, grandiose et somme toute artificiel n'est pas celui que retinrent les romantiques : les Goethe, Schiller, Hölderlin et A. Chénier préfèrent chanter l'âge d'or. Ils rêvent à la Grèce primitive dont la beauté était à la fois sereine et sensuelle, ils pleurent à l'idée que cet idéal est à jamais perdu, que cette vie proche de la nature est désormais inaccessible. Le XIXe siècle n'est donc pas l'âge du consensus. Le monde de l'éducation est lui-même divisé entre les partisans des études classiques et ceux des études scientifiques, et à l'intérieur même des études classiques les philologues n'ont pas la même vision des Anciens que les autres chercheurs. On connaît l'immense travail d'érudition des philologues allemands de la fin du XIXe, et on sait qu'ils ont énormément apporté, mais aussi beaucoup nui à la cause, par leur intérêt exclusivement limité aux exercices philologiques, coupé des questions plus larges, historiques ou littéraires. De tels débats sont loin d'être clos à l'époque actuelle.

À la fin du XIXe siècle, outre les multiples interprétations nées de la nostalgie ou des idéologies politiques, on assiste à une multiplication des connaissances. Grâce aux diverses investigations de chercheurs de mieux en mieux outillés, des sciences nouvelles voient le jour, dont l'ethnographie. Grâce à elle, J. G. Frazer se met à analyser méthodiquement les croyances, les religions anciennes en cherchant des équivalents dans d'autres cultures ; son *Rameau d'or* (1890) a eu un succès foudroyant qui n'est toujours pas démenti de nos jours. Son travail sur les mythes a été poussé plus loin par Freud et Carl Jung : on a découvert le « complexe d'Œdipe », celui de Narcisse, et on a même jugé que les personnages de la mythologie pouvaient tous être nés de l'inconscient collectif. Cette redécouverte des mythes a sans doute influencé la littérature du début du XXᵉ siècle qui vit se succéder des œuvres modernes à thèmes antiques. Cocteau avec *La Machine infernale* (1934), Joyce avec *Ulysse* (1922), O'Neill et bien d'autres se servent du mythe antique pour parler de réalités bien contemporaines, comme Giraudoux qui, dans *La Guerre de Troie n'aura pas lieu,* brandit le spectre de la Deuxième Guerre mondiale (en 1935).

Ces multiples réinterprétations de l'histoire qui perdurent au fil du temps rendent une approche sérieuse des classiques indispensable si l'on veut garder la tête froide, déjouer les pièges, garder cet esprit libre et critique que les Anciens ont eux-mêmes prôné. Il arrive en effet que le monde moderne cherche encore dans l'Antiquité une légitimité bien contestable, et le non-initié tombe sans le vouloir dans le piège d'une manipulation bien orchestrée. On connaît par exemple les déformations qu'on a fait subir à la pensée de Georges Dumézil[7] qui a consacré sa vie à l'étude des Indo-Européens, ces peuples descendus des Balkans à partir du IIIᵉ millénaire et qui sont à l'origine de presque tous les peuples d'Inde et d'Europe, d'où la parenté de toutes les langues correspondantes, de l'espagnol au sanskrit, en passant par l'allemand, le français, l'anglais, etc. Dumézil a mené à bien une extraordinaire étude comparative des langues, des mythes, des structures sociales pour retrouver ces fameux Indo-Européens. Or, ce sont eux que la recherche allemande du XIXᵉ siècle appelait déjà de façon restrictive les *« Indo-Germanischen »,* appellation qu'une idéologie douteuse simplifiera en « Aryens », décidant d'autorité que ces peuples étaient tous blonds aux yeux bleus et qu'ils se devaient, surhommes nietzschéens, d'avoir dominé tous les autres peuples. C'est une dérive que Dumézil n'entérinait pas. On lui a cependant prêté des idées tendancieuses.

---

7. D. Éribon, *Faut-il brûler Dumézil ? mythologie, science et politique,* Paris, Flammarion, 1992.

C'est d'ailleurs la même dérive qui convainquit à peu près tout le monde qu'Alexandre le Grand, le conquérant macédonien, était lui aussi blond aux yeux bleus, prototype parfait de la race aryenne qui fit les beaux jours de toute une historiographie germanophone de la fin du XIXe et de la première partie du XXe siècle : Droysen est un historien traduit dans toutes les langues, bon chercheur de surcroît, et dont la vision d'un Alexandre aryen, charismatique, meneur de peuples et portant la civilisation occidentale jusqu'en Inde sut s'imposer un peu partout. Or, si on lit les textes anciens, si l'on étudie l'iconographie d'Alexandre, on est bien incapable de décrire en toute certitude le héros macédonien. Plutarque qui écrivit sa biographie bien des siècles après les faits tend à dessiner un homme à peau claire sans jamais parler de blondeur, démentie d'ailleurs par une mosaïque de la Maison du Faune à Pompéi. Et les bustes d'Alexandre répondent surtout à une volonté de souligner sa ressemblance avec un dieu, Apollon, Dionysos, toutes ces divinités de l'éternelle jeunesse en lesquelles il se reconnaissait. C'est peu pour faire un portrait-robot, mais cela suffit pour imposer une image d'athlète blond que le cinéma et les bandes dessinées reprendront à l'envi. Erreur sans conséquence tant qu'il s'agit de cinéma, mais plus dangereuse quand elle est prétexte à délires racistes. On sait aussi la fascination qu'exerça sur les chantres du national-socialisme allemand le mode de vie spartiate : l'éducation de la *Hitlerjugend,* l'endogamie et le mythe de la « race pure » ressemblent étrangement à l'idéal spartiate, tout au moins à la vision que les autres, c'est-à-dire les Athéniens, en avaient. Le philosophe Heidegger lui-même s'est aussi construit une image complètement chimérique de l'antiquité grecque (comme du nazisme d'ailleurs), sans doute pour compenser son époque qu'il voyait en déclin. La polémique autour de sa pensée est loin d'être éteinte.

Nous avons mentionné précédemment les Balkans, d'où sont descendus les Indo-Européens, et la Macédoine, patrie d'Alexandre : le monde balkanique actuel et la guerre qui ravage le territoire de l'ancienne Yougoslavie donnent parfois l'occasion de rechercher dans l'Antiquité de quoi justifier des menées expansionnistes, retrouver les frontières « idéales » d'un État. Ce nationalisme qui utilise l'archéologie à des fins politiques aime à légitimer le présent grâce au lointain passé, faisant fi de tous les siècles intermédiaires qui ont changé les données et interdisent toute projection anachronique et artificielle. À propos d'anachronisme, il est possible aussi de souligner l'utilisation éhontée de la démocratie grecque dans certains discours politiques : l'extrême-droite française a pu invoquer devant l'Assemblée nationale la démocratie athénienne qui était très restrictive pour les étrangers (les *métèques* n'avaient pas de droits politiques) pour justifier la fermeture des frontières, sans pour autant préciser qu'on ne pouvait comparer l'incomparable[8] ; on ne peut confondre Périclès et Tocqueville, on ne peut justifier des discriminations actuelles en invoquant une démocratie qui, pour fascinante qu'elle fût, ne peut constituer le mythe fondateur de nos libertés et apporter la moindre caution idéologique à des faits (ou forfaits) contemporains.

S'il est vrai que « toute histoire est contemporaine », l'Antiquité ne fait pas exception... L'historien de l'Antiquité est, comme les autres, un être de chair et de sang, bien de son temps, homme d'une époque et d'une société données, et son regard sur les Anciens en est obligatoirement encore influencé. Il en sera toujours ainsi. Heureusement, dirons-nous. C'est ce qui fait la chair des écrits d'un P. Vidal-Naquet, capable grâce à sa grande érudition d'écrire un ouvrage consacré au révisionnisme historique et de mettre en parallèle le massacre organisé des Hilotes de Sparte et celui, « industriel » et non plus « artisanal », des camps

---

8. « Discussion du projet de loi J. Cl. Gayssot tendant à réprimer tout acte raciste, antisémite ou xénophobe », *Journal officiel de la République française,* année 1990, n° 18, jeudi 3 mai 1990, p. 907-911.

de concentration nazis[9]. L'histoire est une science humaine et le chercheur reste humain, l'essentiel est que les outils de l'historien lui permettent une approche rigoureuse, sans contresens, des réalités antiques. Les liens affectifs qui nous unissent aux Anciens sont multiples, et cette utilisation de l'histoire ancienne est passionnante. Encore faut-il pouvoir la décrypter, ne pas être dupe des tricheries, d'autant plus que le recul des études classiques n'empêche pas le grand public de s'intéresser vivement à l'Antiquité. Paradoxalement, les librairies sont pleines de nouvelles traductions de textes anciens, les expositions sur la Grèce et sur Rome sont fréquentes et assidument visitées, les chantiers archéologiques attirent de nombreux jeunes chercheurs, et les voyages culturels font la part belle aux grands sites. Les touristes s'y pressent sans forcément avoir reçu la moindre formation. Devant cette curiosité, cette demande, la nécessité de porter le regard le plus objectif, le plus honnête possible sur les Anciens n'en est que plus indispensable. Avant de clore ce livre et pour éviter que le lecteur ne garde l'impression d'une antiquité classique qui se dérobe, trop trahie ou récupérée au fil des siècles pour que l'on ait l'espoir de la faire revivre un tant soit peu, j'aimerais lui montrer que le chercheur moderne dispose de nouvelles armes très efficaces que les générations précédentes ne connaissaient pas, et qui rendent la recherche actuelle de plus en plus attirante et solide, moins portée qu'auparavant à projeter sur ce monde révolu nos valeurs actuelles, nos modes de pensée. On ne cherche plus à prouver à toute force la « modernité » des Anciens, on les considère enfin pour eux-mêmes, témoins d'une époque abolie et lointaine, mais à laquelle de nombreux fils nous relient encore.

---

9. P. Vidal-Naquet, *Les Assassins de la mémoire,* Paris, La Découverte, 1987, (2e éd.), p. 134, (« La destruction des Hilotes de Sparte »).

Chapitre VI

Les tendances actuelles

Quelques remarques préliminaires d'abord : on est obligé de constater que le chercheur en histoire de l'Antiquité se trouve dans une position très différente de son collègue historien d'une époque plus récente, car les sources d'information sont pour lui beaucoup plus rares et difficiles d'accès. Alors que l'historien des XIXe-XXe siècles, par exemple, dispose d'un monceau d'archives de tous ordres qu'il lui faut rigoureusement inventorier et trier avant usage, l'historien de l'Antiquité se trouve au contraire face à un matériel disparate et rapiécé auquel on ne peut donner le nom d'archives puisque ce concept n'existe pas encore, plein de trous noirs et de mystères, qui l'oblige à faire flèche de tout bois et à avouer humblement son ignorance sur encore de nombreux points. Il est bien naturel que toutes les époques et toutes les régions du monde gréco-romain n'aient pas fourni la même moisson de documents : si la démocratie athénienne du Ve siècle est relativement bien connue, on ne sait pas grand-chose des autres cités de la même époque, on ignore encore beaucoup des rouages des royaumes hellénistiques, et les territoires des confins, des marges du monde « civilisé » gardent encore tout leur mystère ; même remarque concernant l'histoire romaine : l'époque des rois reste nimbée de légendes, et si le Haut-Empire a pu être relativement éclairci, il n'en est pas de même du Bas-Empire, pauvre en documents.

Ces lacunes documentaires et la diversité du monde gréco-romain interdisent à l'historien de l'Antiquité les vastes synthèses qui traiteraient, par exemple, de « la femme dans l'antiquité gréco-romaine ». Dans l'impossibilité de généraliser ainsi, il est obligé de cibler ses questions et d'étudier par exemple « la femme à Athènes au ve siècle », « la Gauloise au Ier siècle avant J.-C. » ou « la femme en Afrique du Nord sous le Haut-Empire », études pointues qui lui interdisent de faire fi des nuances et d'utiliser abusivement en la généralisant une documentation partielle. Il doit aussi interroger toutes les disciplines qui contribuent à la construction de l'histoire. Quand on se rappelle le naufrage qu'a connu la littérature gréco-romaine (pour ne prendre qu'un exemple, rappelons qu'il ne nous reste que 35 livres de Tite-Live sur les 142 que constituait son œuvre, et on le considère pourtant comme un trésor documentaire), on comprend bien qu'il faut compléter l'information des textes littéraires par d'autres sources : monnaies, inscriptions, iconographie, témoignages archéologiques.

Nécessité d'autant plus impérieuse que les textes littéraires ne disent pas toujours la vérité : les historiens anciens affabulaient beaucoup, les poètes enrobaient les événements de tout l'ornement de leur art, la littérature fut corrigée et trahie maintes fois, et il arrive que des découvertes archéologiques viennent contredire les informations rapportées par les textes. C'est d'ailleurs ce qui a limité et même faussé pendant des siècles l'étude de l'Antiquité : depuis la Renaissance, on n'interrogeait guère que les textes littéraires, les archéologues du XIXe étaient plus des chercheurs de trésors et des aventuriers que des scientifiques. C'est dire que l'étude systématique de l'antiquité classique, avec les moyens qu'elle mérite, est née avec notre siècle, et qu'il y a encore un énorme travail à accomplir, en particulier en ce qui a trait à cette pluridisciplinarité dont chacun parle, mais qui se heurte encore à la méfiance de beaucoup.

Les sources littéraires sont encore abondamment interrogées. Paléographes, papyrologues, philologues et littéraires s'attachent à les replacer dans leur contexte, pour mettre en lumière une société, une époque, et poser humblement une petite pierre dans l'immense champ de la recherche. L'archéologie a affiné sa méthodologie et l'archéologue n'est plus un aventurier ; il s'entoure de toute une équipe de photographes, dessinateurs, géomètres, architectes, sans oublier le personnel technique qui analyse les objets en laboratoire. L'épigraphiste, le numismate travaillent en étroite collaboration avec lui. Et les images, gravées sur les monnaies, peintes sur céramique ou sur fresques murales, sculptées en bas-reliefs ou en statues, ont également besoin de leurs spécialistes pour livrer leur mystère. Elles ne sont jamais simples illustrations décoratives, pâles reflets du réel, mais ont leur sens propre, leur langage particulier qui demande des méthodes d'analyse bien spécifiques. Toute image parle autant qu'un texte de propagande, et il n'est qu'à observer les temples grecs, avec leurs chapiteaux et leurs frises savamment disposés, pour comprendre qu'ils n'étaient pas sculptés « pour faire joli », mais pour livrer un message à tous ceux qui contemplaient ces vitrines de la cité. Largement diffusées, constamment imitées et réinterprétées depuis l'Antiquité jusqu'à nos jours, les images aussi doivent être rigoureusement étudiées, pour éviter les contresens...

Ce sont quelques exemples de documents qu'il faut confronter, rapprocher pour essayer de faire surgir du passé nos lointains ancêtres. On pourrait en ajouter bien d'autres : l'étude de la mythologie, avec à sa disposition de multiples méthodes d'analyse (structuraliste, psychanalytique, etc.), et bon nombre d'autres sciences. Il est impossible, bien sûr, d'assimiler les connaissances juridiques, scientifiques, philosophiques, philologiques, historiques et littéraires qui feraient du chercheur l'homme-orchestre capable de tout embrasser. Le rêve très romantique (après avoir été celui des humanistes) d'une science globale de l'Antiquité est à jamais envolé. L'important est de connaître les outils, les méthodes de toutes ces sciences afin de pouvoir, éventuellement, les interroger sans être trop désarmé. Heureusement, le classiciste dispose d'un outil bibliographique de première valeur : l'*Année philologique,* publiée chaque année à Paris, recense tout ce qui s'écrit sur l'antiquité classique, dans toutes les langues et toutes les maisons d'édition et revues mondiales. Toute la recherche internationale est ainsi scrupuleusement relevée. Instrument long à élaborer, mais indispensable et précieux, qui permet au chercheur de profiter des travaux de ses collègues partout dans le monde afin d'approfondir encore, d'affiner le questionnement, d'élargir sa vision. Cette publication reçoit déjà l'aide de confrères informatisés, et l'on parle de plus en plus de banques de données, de réseaux internationaux. Le TLG d'Irvine (le *Thesaurus Linguae Graecae,* toute la littérature grecque sur CD-Rom) et son équivalent latin changent radicalement la pratique et les méthodes de recherche. La recherche est appelée à devenir de plus en plus mondiale, largement diffusée, chaque chercheur pouvant s'enrichir sans déplacements fastidieux de ce que lui apportent les autres. Qui eût pensé il y a vingt ans seulement que l'informatique bouleverserait ainsi les recherches sur l'Antiquité réputées si conservatrices ? Et pourtant toutes les sciences, tous les « savoirs » sont à présent concernés par ces technologies. Les blocages encore solides prouvent bien que la mutation est d'importance et que les chercheurs doivent très vite modifier radicalement leurs méthodes de travail : c'est presque une révolution, douloureuse car il faut remettre en question ses habitudes, passionnante car elle crée une ouverture immédiate sur le matériel lui-même et sur le monde. Et il faudra bien se demander si l'antiquité classique doit embarquer résolument dans ce train technologique et bénéficier d'une large diffusion, ou se réserver orgueilleusement à un groupe limité de savants comme elle a eu tendance à le faire dans un passé tout proche. Le débat est ouvert, les réponses ne sont pas encore très claires.

Comme nous l'avons vu, l'antiquité classique est une réalité mouvante. Cent fois redécouverte, admirée, censurée, utilisée, elle donne parfois l'impression d'être une création de tous ceux qui l'ont exploitée, le fruit de cette Renaissance qui a vu Ronsard retrouver les accents des poètes Alcée ou Mimnerme de Colophon, ou de ces romantiques partis en pèlerinage sur les lieux de leur passion. Nous ne pouvons effacer toutes les interprétations successives et croire que nous resterons nous-mêmes indemnes de ce genre de déformation. Mais même si nous devons renoncer à appréhender directement l'antiquité classique, même si Platon restera toujours pour nous lointain, exotique, même si le fil est définitivement coupé entre lui et nous, sa pensée peut donner, à qui l'interroge véritablement, accès à une pensée universelle, une sagesse à dimension très humaine, des questions fondamentales, à poser en tous temps et en tous lieux, du moins dans tous les pays qui appartiennent à cette tradition occidentale, qu'ils soient d'Europe ou d'Amérique.

Cette sagesse classique, on l'a adulée, puis on l'a reniée ; elle n'en survit pas moins, partout autour de nous, et mérite de dispenser ses trésors au public le plus large, pas seulement aux heureux initiés. Et sans être des plus faciles, ces textes sont très abordables, de mieux en mieux diffusés dans des collections attrayantes. Les spécialistes ont élargi leurs compétences et leur vision. Ils ont subi des influences qui intègrent parfaitement l'Antiquité dans la longue chaîne de l'histoire : la linguistique saussurienne a beaucoup influencé les antiquisants ; on a appliqué à l'Antiquité les leçons des sciences humaines : sociologie de É. Durkheim, ethnologie de M. Mauss, études de comportement de M. Foucault, sans oublier l'apport de l'École des Annales grâce à laquelle l'histoire sociale, l'histoire des mentalités se sont enfin intéressées aux petites gens, aux femmes, aux esclaves, à toutes les composantes de ces sociétés dont nous sommes vaille que vaille les lointains héritiers. Tous les milieux et tous les pays profitent largement de ces ouvertures qui font de l'antiquité classique un immense chantier bouillonnant de vitalité. Et les chercheurs actuels sont des femmes et des hommes qui vivent au présent. Ils ne sont pas enfermés dans leur tour d'ivoire, mais participent pleinement des événements de leur siècle, alliant l'article savant et l'émission radiophonique ou télévisée, l'œuvre érudite et le texte de vulgarisation. Est-ce un hasard si P. Veyne, J. P. Vernant, P. Vidal-Naquet et bien d'autres se sentent directement concernés par l'actualité, ne refusant nullement l'engagement politique ? P. Vidal-Naquet traite avec le même professionnalisme de l'impérialisme athénien et de la guerre d'Algérie, mettant les mêmes méthodes historiques rigoureuses au service des diverses époques, mais l'esprit constamment en alerte et mieux éclairé qu'un autre, peut-être, de ce qu'une âme humaine est capable de faire. En cela, l'histoire de l'antiquité classique reste une discipline résolument « moderne », bien qu'elle soit amenée à étudier des objets vieux de deux mille ans et plus. *Antiquus* et *vetus,* ce n'est pas pareil ! L'« ancien », le « vieux » a cessé d'exister, l'« antique » perdure autour de nous.

Il nous faut pourtant garder à l'esprit, même si nous nous refusons parfois à le voir, que cette refonte constante des Antiques au cours des siècles doit nous rendre modestes : dans quelques siècles, nos avis et convictions d'aujourd'hui risquent de paraître aussi saugrenus que la vision idéale des humanistes ou des romantiques. « Dire vrai » sur les Anciens est notre seule ambition, car, hors de la « vérité du fait » (la bataille de Marathon ne sera jamais remise en cause), il faut savoir que leurs mentalités sont devenues à peu près inaccessibles. L'historien de l'Antiquité est un homme de conviction, mais il admet aussi que la « vraie » démocratie du ve siècle risque de lui échapper éternellement...

Peut-on résumer, dans ces conditions, la vision qu'ont les chercheurs de l'antiquité classique en cette fin du xxe siècle ? Question bien embarrassante pour deux raisons au moins : d'abord nous sommes tentés de dire que seul l'avenir le dira. Il faut en effet du recul pour porter un tel jugement de valeur, un tel regard sur la recherche actuelle. Dans cent ans, le chercheur pourra peut-être nous juger comme nous l'avons fait pour nos prédécesseurs humanistes ou révolutionnaires, avec – qui sait ? – les réserves envisagées ci-dessus mais aussi, nous l'espérons, un hommage rendu à notre contribution. Ensuite, il faut rappeler l'éclatement des recherches actuelles, lié aux nouvelles voies tracées à la fois par les outils modernes dont nous disposons et par les courants de pensée des 50 dernières années. Faut-il privilégier le regard des historiens marxistes, celui de l'anthropologie historique ? Préférerons-nous l'approche philologique, l'école structuraliste ? L'Antiquité n'est d'ailleurs pas seule en cause : c'est toute la discipline historique qui s'interroge en ce moment sur sa propre définition, ses spécificités, sa méthodologie, ses limites. On parle de la « crise » de l'histoire des deux côtés de l'océan. Les historiens de l'Antiquité se posant les mêmes questions que leurs collègues spécialistes d'histoires plus récentes, il est à craindre que la vision de l'antiquité classique reste pour quelque temps encore aussi éclatée que la discipline historique elle-même. Plutôt qu'une « crise », il est permis d'y voir une remise en question salutaire, qui renouvelle les approches, brise les carcans méthodologiques et évite la trop facile satisfaction de soi. Les chercheurs y gagnent la conviction qu'ils ne peuvent plus travailler seuls, que leur approche s'enrichit des approches plurielles, et l'on peut espérer que la vision du monde gréco-romain en sortira grandie d'autant.

Conclusion

Étudier la rémanence de l'antiquité gréco-latine peut devenir un jeu : du Capitole au Sénat, de l'Académie au gymnase, jusqu'à la tombe de Jim Morrison qui emprunte au grec son épitaphe : *kata ton daimona autou*, « conformément à son Génie »... Le touriste qui visite Pompéi, détruite par le Vésuve au Ier siècle de notre ère, contemple un monde antique qui ressemble furieusement au nôtre, avec ses maisons bourgeoises un peu tape-à-l'œil, ses boutiques donnant sur la rue, ses petits « bars » où l'on s'arrête en passant pour boire un verre de vin ou manger sur le pouce (*thermopolia*), ses toilettes publiques, sa maison close il est vrai bannie (depuis peu) de nos sociétés modernes. Dans un autre domaine, la mythologie gréco-romaine est pleine d'images polychromes dont la pensée judéo-chrétienne nous a privés trop longtemps. À force d'interdire la représentation de Dieu et de sa Créature, il fallait se venger sur les images de la mythologie païenne qui montrait si bien ce qu'il fallait faire et ne pas faire : Aphrodite, Œdipe et son complexe, Cupidon et tous les autres ont la vie dure. On peut tout aussi bien raconter leur histoire aux enfants et en faire une thèse de psychanalyse. Avec les Grecs et les Romains, c'est un morceau de mémoire culturelle qui est en jeu, des repères que l'on retrouve, des images qui se recoupent, un souvenir qui rejaillit. L'an zéro, qui n'existe d'ailleurs pas, a voulu malhabilement remplacer le monde antique par la chrétienté, comme si du passé l'on faisait table rase, comme si l'Antique était désormais englouti, désuet, stérile, rejeté dans le « moins ». En réalité, l'Antique fuse de toutes parts, encore faut-il en voir les signes, les empreintes.

On peut vivre sans, bien sûr, mais alors on est borgne et quelque peu mutilé, et c'est dommage...

Quand on parle des Grecs, on songe spontanément à la politique, aux genres poétiques, dramatiques, aux arts plastiques, à la rhétorique, aux théories métaphysiques, éthiques, aux démarches mathématiques, philosophiques. La liste serait longue et fastidieuse s'il fallait nommer tous les éléments de cet héritage grec. Du théorème de Pythagore aux techniques littéraires, de l'histoire au théâtre, les Grecs se cachent derrière la majorité de nos savoirs et de nos habitudes. Les Romains ne sont pas en reste si l'on songe à l'administration dont ils posèrent les structures, le droit qui resta « romain » pendant des siècles, toutes les infrastructures de l'Empire qui dessinèrent le réseau routier de l'Europe moderne, le développement du commerce, de l'agriculture, de l'architecture et des techniques, les fondements de la vie sociale et de la cellule familiale, sans oublier bien sûr la langue latine qui devint petit à petit, par un phénomène de créolisation, d'évolution « patoisante », langue romane au VIIe siècle. Mais ce latin n'a jamais été abandonné, il a évolué selon les zones géographiques, s'est transformé jusqu'à devenir l'italien, l'espagnol, le français, et il reste actuellement la langue de référence dans le milieu des antiquisants classicistes. Les éditions Teubner, maison allemande qui accomplit un remarquable travail d'édition de textes anciens, recourt encore au latin pour toutes ses introductions et tous ses commentaires : n'est-ce pas la seule langue commune à tous, chercheurs anglais, suédois, chinois, russes, allemands ou québécois, aux quatre coins du monde ? Il est jusqu'à l'alphabet romain qui fut emprunté par des langues n'ayant aucune parenté avec les langues néolatines, germaniques ou celtes : les Hongrois, les Finnois, bon nombre de peuples slaves et des millions de groupes d'Afrique et d'Asie, qui n'ont jamais prononcé le moindre mot d'une quelconque langue européenne, l'utilisent quotidiennement.

Le fait est là : maint succès de librairie confirme le retour, multiforme, de l'Antiquité dans les pôles d'intérêt du public. Multiforme et curieux car si l'on observe ce phénomène, on constate qu'on lit plus de livres sur l'Antiquité que les textes antiques eux-mêmes. On s'intéresse davantage à l'archéologie, quitte à se presser en foule sur des sites parfois informes et incompréhensibles, qu'à l'art gréco-romain. Mon vœu serait donc d'inciter le lecteur à découvrir les textes et les œuvres. Même s'il se contente d'être un amateur éclairé, même s'il ne songe aucunement à se lancer dans ce genre de recherche, qu'il se rende compte déjà que l'antiquité classique est à peu près la seule à nous avoir légué une littérature complète, tous genres confondus. En effet, malgré le naufrage qu'elle a connu à travers les siècles, la littérature gréco-romaine offre au lecteur des œuvres d'histoire-géographie, de philosophie, de sciences, des pièces de théâtre, des poésies religieuses et profanes et même quelques romans, sans oublier les multiples expressions de l'éloquence ancienne, que ce soit à travers les discours politiques ou les plaidoyers judiciaires. Genres bien souvent inaugurés par eux, ignorés de l'Égypte et de la Mésopotamie qui ne connaissaient guère que la littérature au service du pouvoir, les hymnes aux dieux ou les généalogies de souverains. Raison de plus pour ne pas se priver d'un plaisir et pour mordre à belles dents dans ces textes qui sont un peu de notre mémoire.

Tableaux chronologiques

Les grandes périodes de l'histoire grecque

Périodes	Siècles	Événements importants
Arrivée des Indo-Européens en Grèce	XXe-XVIIe	Sur le continent grec, arrivée des Ioniens, Éoliens, Achéens (2000-1900) En Crète, premiers palais (2000-1700)
Période mycénienne	XVIIe-XIIe	Palais mycéniens, Linéaire B, guerre de Troie (1250 ?) En Crète, seconds palais
Âges obscurs	XIe-IXe	Migrations de peuples en Grèce Grecs en Asie Mineure Fin de l'âge du bronze, début de l'âge du fer
Période archaïque	VIIIe-VIe	Colonisations (770-510) La *Polis,* les Codes de lois, puis apparition de tyrannies (650-510) Alphabet (vers 750), d'où premières œuvres littéraires (Homère, Hésiode, poètes et philosophes ioniens...)

Période classique	V^{e}-IVe	Guerres médiques (490 et 480-478) Empire d'Athènes, « siècle » de Périclès (461-429), art et littérature « classiques » Guerre du Péloponnèse (431-404) Luttes hégémoniques intercités (Sparte, Thèbes...) Intervention de la Macédoine Conquêtes d'Alexandre (331-323)
Période hellénistique	fin IVe-Ier	Royaumes hellénistiques, métissages entre hellénisme et Orient Interventions romaines et conquête du monde grec (30 : l'Égypte de Cléopâtre devient province romaine)

Note : Les grandes étapes chronologiques sont bien sûr schématiques. On peut considérer par exemple que l'époque classique se termine avec l'intervention de la Macédoine (bataille de Chéronée en -338) et non avec les conquêtes d'Alexandre le Grand. Elles rendent seulement la compréhension des grands clivages plus aisée.

Les grandes périodes de l'histoire romaine

Périodes	Siècles	Événements importants
Royauté	VIIIe-VIe	753 : date traditionnelle de la fondation de Rome Apogée des villes étrusques Royauté étrusque à Rome 509 : Tarquin chassé de Rome
République	VIe-Ier	494 : sécession de la Plèbe 450 : Lois des Douze Tables 445 : mariage possible patriciens/plébéiens 367 : partage du consulat patriciens/plébéiens 287 : les plébiscites ont force de loi… Trois guerres samnites, annexion de la Grande Grèce (Tarente en 272) Trois guerres puniques (Carthage détruite en 146) Guerres de Grèce (Corinthe détruite en 146) Découpage des conquêtes en provinces Guerre sociale (91-88) Guerre servile (Spartacus en 73-71) Menées des *Imperatores* : Sylla et Marius (88-79) Pompée et Crassus Jules César dictateur en 46-44 (assassiné le 15 mars)

		Guerre civile Marc-Antoine/Octave En 27, Octave devient *Auguste.*
Principat d'Auguste	27 avant J.-C. 14 après J.-C.	Auguste cumule tous les pouvoirs *Pax Romana* dans l'Empire
Empire	Ier-V^{e}	*1) « Haut-Empire » (Ier-IIIe)* Les successeurs d'Auguste jusqu'à Domitien (14-96) Les Antonins et les Sévères (96-235) Frontières stabilisées, expansion terminée 212 : édit de Caracalla, octroi de la citoyenneté romaine à tous les hommes libres de l'Empire *2) « Bas-Empire » (IIIe-V^{e})* Migrations barbares, crise économique et politique au IIIe Réformes et redressement au IVe (tétrarchie de Dioclétien) Constantin premier empereur chrétien, maître de l'Empire en 324 La capitale se déplace en Orient (Constantinople en 330) Le christianisme se répand 395 : Empire divisé Orient/Occident 410 : sac de Rome par Alaric 476 : capitulation du dernier empereur d'Occident

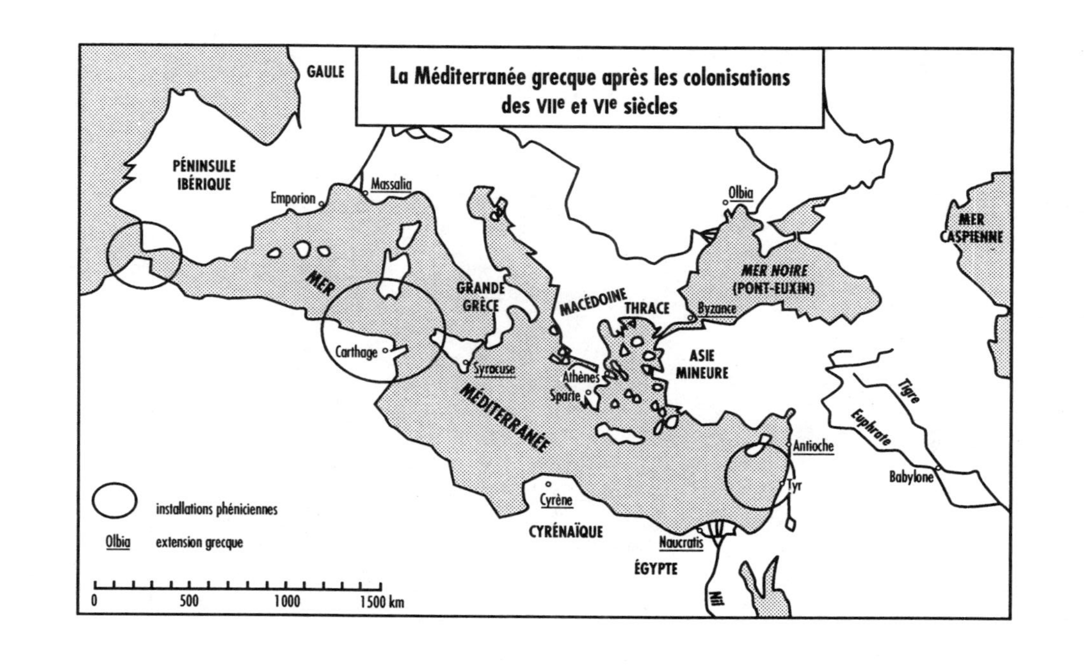
La Méditerranée grecque après les colonisations
des VIIe et VIe siècles
GAULE
PÉNINSULE IBÉRIQUE
Emporion
Massalia
MER
MÉDITERRANÉE
Carthage
GRANDE GRÈCE
Syracuse
MACÉDOINE
THRACE
Athènes
Sparte
Olbia
MER NOIRE (PONT-EUXIN)
Byzance
ASIE MINEURE
MER CASPIENNE
Tigre
Euphrate
Babylone
Antioche
Tyr
Cyrène
CYRÉNAÏQUE
Naucratis
ÉGYPTE
Nil
installations phéniciennes
Olbia extension grecque
0
500
1000
1500 km

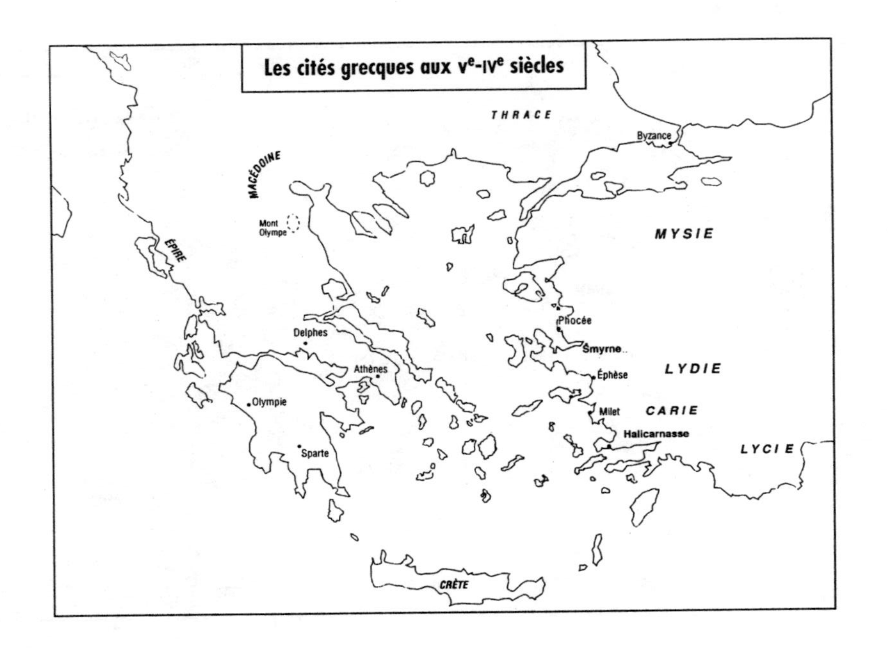
Les cités grecques aux Ve-IVe siècles
THRACE
Byzance
MACÉDOINE
Mont
Olympe
ÉPIRE
MYSIE
Phocée
Smyrne
Delphes
Athènes
Éphèse
LYDIE
Olympie
Milet
CARIE
Halicarnasse
Sparte
LYCIE
CRÈTE

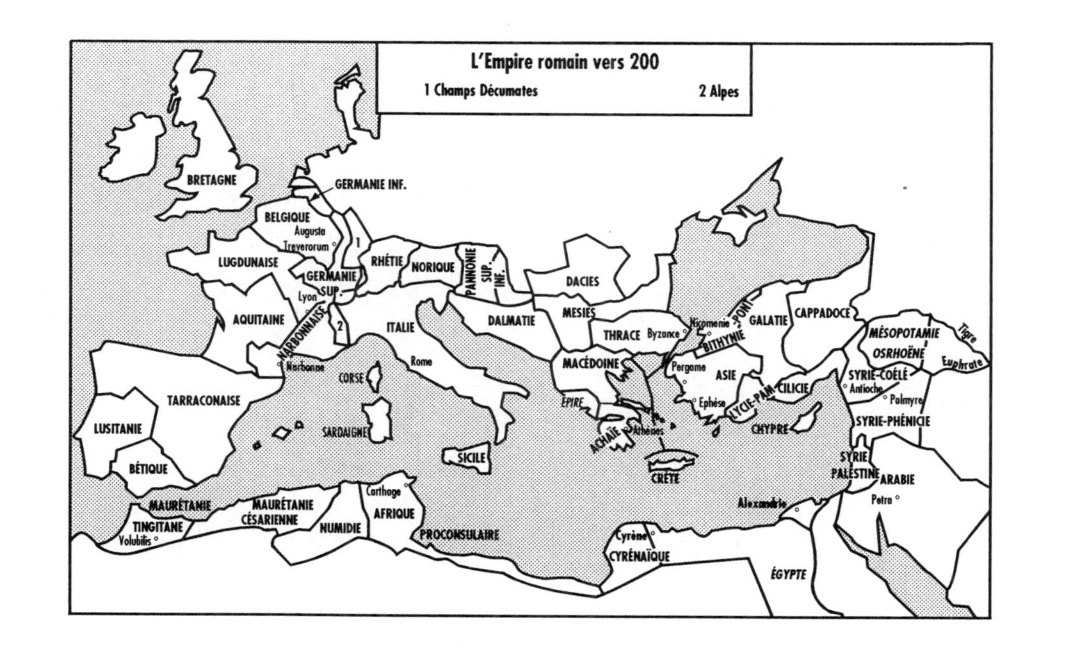
L'Empire romain vers 200
1 Champs Décumates
2 Alpes
BRETAGNE
GERMANIE INF.
BELGIQUE
Augusta
Treverorum
LUGDUNAISE
GERMANIE
SUP.
Lyon
AQUITAINE
NARBONNAISE
Narbonne
1
2
RHÉTIE
NORIQUE
PANNONIE
SUP.
INF.
ITALIE
Rome
DALMATIE
DACIES
MESIES
THRACE
Byzance
Nicomenie
PONT
GALATIE
CAPPADOCE
BITHYNIE
MÉSOPOTAMIE
OSRHOËNE
Tigre
Euphrate
MACÉDOINE
Pergame
ASIE
Éphèse
LYCIE-PAM.
CILICIE
SYRIE-COÉLÉ
Antioche
Palmyre
SYRIE-PHÉNICIE
CORSE
SARDAIGNE
TARRACONAISE
LUSITANIE
BÉTIQUE
EPIRE
ACHAÏE
Athènes
CHYPRE
SICILE
CRÈTE
SYRIE
PALESTINE
ARABIE
Petra
MAURÉTANIE
TINGITANE
Volubilis
MAURÉTANIE
CÉSARIENNE
NUMIDIE
Carthage
AFRIQUE
PROCONSULAIRE
Alexandrie
Cyrène
CYRÉNAÏQUE
ÉGYPTE

Bibliographie

Cette bibliographie se veut sommaire, mais les ouvrages proposés comportent eux-mêmes une liste d'ouvrages qui peuvent susciter d'autres lectures plus approfondies. Nous avons privilégié les ouvrages francophones, mais quiconque s'intéresse à l'antiquité classique doit savoir que l'anglais et l'allemand sont incontournables.

Ouvrages généraux

Petit P., *Précis d'histoire ancienne,* 7e éd., Paris, PUF, 1991.

Cabanes P., *Introduction à l'histoire de l'Antiquité,* Paris, A. Colin, coll. « Cursus », 1992.

Les livres traitant des antiquités grecque et romaine sont très nombreux. Plutôt que de perdre le lecteur, nous aimerions le diriger vers certaines collections, riches en ouvrages sur l'antiquité classique ; certaines sont récentes, d'autres plus anciennes, mais toutes offrent des bibliographies et des recentrages régulièrement mis à jour. Parmi elles, citons :

• **« Nouvelle Clio », PUF,** avec des ouvrages sur la **Grèce** (par exemple Briant P., Lévêque P., Brulé P., Descat R., Mactoux M.-M., *Le Monde grec aux temps classiques,* t. 1, Paris, 1995) et sur **Rome** (Jacques F., Scheid J., *Rome et l'intégration de l'Empire,* vol. I, *Les Structures de l'Empire romain,* 9, Paris, 1990).

• « **Peuples et Civilisations** », **PUF.**

Lévêque P. (dir.), *Les Premières Civilisations,* vol. I, *Des despotismes orientaux à la cité grecque,* Paris, 1987.

Will Ed., *Le Monde grec et l'Orient,* vol. I, *Le* v^e *siècle (510-403),* Paris, 1972 ; Will Ed., Mossé C., Goukowsky P., vol. II, *Le* IVe *siècle et l'Époque hellénistique,* Paris, 3e éd., 1990.

Le Gall J., Le Glay M., *L'Empire romain. Le Haut-Empire de la bataille d'Actium à la mort de Sévère-Alexandre (31 av. -235 apr. J.-C.),* Paris, 1987.

• « **Cursus** », **A. Colin,** dont les parutions se succèdent. Parmi les dernières-nées :

Sartre M., Tranoy A., *La Méditerranée antique,* Paris, 1990.

Gras M., *La Méditerranée archaïque,* Paris, 1995.

• « **U2** », **Histoire ancienne, A. Colin.** Depuis la Grèce archaïque (Delorme J., *La Grèce primitive et archaïque,* Paris, 1969) et jusqu'au Bas-Empire (Chastagnol A., *Le Bas-Empire,* Paris, 1981), avec parfois des approches thématiques (Austin M., Vidal-Naquet P., *Économies et Sociétés en Grèce ancienne,* 6e éd., Paris, 1992).

• « **Point-Seuil Histoire** », **Seuil,** avec une série *Nouvelle approche de l'Antiquité.* Dix volumes en format de poche, depuis J.-C. Poursat, *La Grèce préclassique, des origines à la fin du* VIe *siècle,* Paris, 1995, jusqu'à A. Rousselle, *La Civilisation de l'antiquité tardive, des Sévères à la fin de l'Empire romain d'Occident,* Paris (à paraître).

Sans oublier les manuels d'histoire (« Histoire Université » dans la collection « Hachette supérieure » ; « U » chez A. Colin), les éditions de La Découverte, et toutes les collections très accessibles car en format de poche, la collection Nathan « 128 », et les précieux

« Découverte-Gallimard » richement illustrés et documentés.

Pour ceux qui s'intéressent à la littérature, signalons trois petits ouvrages qui constituent une bonne introduction :

Saïd S. et Trédé M., *La Littérature grecque d'Homère à Aristote,* Paris, PUF, coll.« Que sais-je ? », n° 227.

Saïd S., *La Littérature grecque d'Alexandre à Justinien,* Paris, PUF, coll. « Que sais-je ? » n° 2523.

Gaillard J., *Approche de la littérature latine,* Paris, Nathan Université, coll. « 128 », 1992.

Et à qui veut se plonger dans les textes anciens, il faut signaler que bon nombre d'auteurs anciens sont édités et traduits dans la « Collection des Universités de France » (CUF), aux Éditions Les Belles Lettres (éditions bilingues). Les traductions françaises sont également offertes par de nombreuses maisons d'édition (Gallimard, Folio, Livre de Poche, Garnier-Flammarion, Les Belles Lettres, R. Laffont, etc.).

MISE EN PAGES ET TYPOGRAPHIE :
LES ÉDITIONS DU BORÉAL

CE QUATRIÈME TIRAGE A ÉTÉ ACHEVÉ D'IMPRIMER EN AOÛT 2001
SUR LES PRESSES DE L'IMPRIMERIE AGMV MARQUIS
À CAP-SAINT-IGNACE (QUÉBEC)